La
fin tragique
de
L'EMPIRE
INCA

WILLIAM H. PRESCOTT

Histoire
de la Conquête du Pérou

LA FIN

tragique

de

L'EMPIRE INCA

LIVRE PREMIER

La civilisation des Incas

La civilisation des Incas

L'empire du Pérou, à l'époque de l'invasion espagnole, c'est-à-dire au début du XVIᵉ siècle, s'étendait, le long de l'océan Pacifique, du second degré de
latitude nord au trente-septième de latitude sud, suivant
la limite occidentale actuelle des républiques de l'Équa-
teur, du Pérou, de la Bolivie et du Chili. Sa largeur est
plus difficile à déterminer : borné partout à l'ouest par le
grand Océan, vers l'est il s'étendait sur plusieurs points
bien au-delà des montagnes, jusqu'aux limites de pays
barbares dont la position exacte est inconnue.

L'aspect topographique de la contrée est remarquable.
Une étroite bande de terre s'étire le long de la côte,
resserrée d'un bout à l'autre par une colossale chaîne de
montagnes qui, partant du détroit de Magellan, atteint
sa hauteur maximale (qui est aussi celle du continent
américain) vers le dix-septième degré sud et se réduit
graduellement à des collines vers l'isthme de Panama.

C'est la célèbre Cordillère des Andes, qu'on eût pu appeler « les montagnes d'or ». La disposition du pays semblerait défavorable à l'agriculture et aux communications intérieures, mais le génie des Indiens réussit à surmonter tous ces obstacles de la nature. Grâce à un système judicieux de canaux et d'aqueducs souterrains, les déserts de la côte furent fertilisés et rafraîchis par des eaux abondantes. On fait remonter le berceau de cette civilisation à la vallée de Cuzco, région centrale du Pérou.

Il y avait dans le pays une race de civilisation avancée avant l'époque des Incas, race venant des environs du lac Titicaca. Quelle fut cette race, d'où venait-elle, on n'en sait encore rien. La même obscurité recouvre l'origine des Incas. Les nations sauvages du Pérou, sans autre principe de cohésion entre elles, tombèrent un jour l'une après l'autre devant les armes victorieuses des Incas. Ils y firent régner l'ordre et une grande prospérité commença pour le Pérou. Cuzco devint la métropole d'une grande et florissante monarchie. Une énorme forteresse y fut élevée. On est rempli d'étonnement quand on songe que ces pierres furent taillées par un peuple qui ne connaissait pas l'usage du fer et qu'elles furent transportées, sans le secours des bêtes de somme, à travers rivières et ravins.

Pendant ses premières années, le rejeton royal inca était confié aux savants qui lui enseignaient diverses choses, ainsi que le cérémonial astreignant du culte. On soignait aussi beaucoup son éducation militaire.

Bien que le monarque péruvien fût placé très au-dessus des plus élevés de ses sujets, il daignait quelquefois se mêler à eux et se donnait personnellement beaucoup de peine pour surveiller la condition des classes inférieures. Mais le moyen le plus efficace qu'eussent les Incas — car le nom sacré d'Inca s'appliquait indifféremment à ceux qui descendaient en ligne masculine de la monarchie — de communiquer avec le peuple, c'était de voyager dans l'intérieur de l'empire. Ces voyages se faisaient, à des intervalles de plusieurs années, avec beaucoup de pompe et de magnificence. Le faste, du reste, était un des traits prédominants des Incas. Les palais royaux étaient bâtis sur une grande échelle et dispersés dans toutes les provinces de ce vaste empire. Les murs des appartements étaient couverts d'ornements d'or et d'argent. Des niches étaient remplies d'images d'animaux et de plantes, également d'or et d'argent, jusqu'aux ustensiles destinés aux usages domestiques. Mais la résidence favorite des Incas était à Yucay, à cinq lieues de la capitale.

Si cette peinture éblouissante trouble la foi du lecteur, il peut réfléchir que les montagnes du Pérou abondaient en or, que les indigènes avaient porté très loin l'art d'exploiter les mines, qu'aucune partie du métal n'était convertie en monnaie et que la totalité passait dans les mains du souverain, réservée à son profit exclusif, pour être appliquée soit à des usages utiles, soit à l'ornement. Notre surprise peut toutefois être légitime si nous considérons que la richesse étalée par les princes péruviens n'était que celle que chacun d'eux avait individuellement amassée pour lui-même. Il ne devait rien à l'héritage de ses prédécesseurs. A la mort d'un Inca, ses palais étaient abandonnés, tous ses trésors — excepté ce qui en était employé à ses obsèques — restaient dans l'état où il les avait laissés et ses nombreuses résidences étaient fermées pour toujours. Le nouveau souverain devait se pourvoir lui-même de toutes les choses nécessaires à la dignité royale. Quand un Inca mourait, on célébrait ses funérailles avec beaucoup de pompe. Les entrailles extraites de son corps étaient déposées dans le temple de Tampu et on enterrait avec elles une partie de sa vaisselle et de ses bijoux. Un certain nombre de ses serviteurs et de ses concubines favorites étaient immolés sur son tombeau. Le corps de l'Inca était embaumé avec art et porté dans le grand temple du Soleil à Cuzco.

La noblesse du Pérou se composait de deux ordres : le premier, et de loin le plus important, était celui des Incas qui, s'honorant d'une origine commune avec la monarchie, vivaient pour ainsi dire sous le reflet de sa gloire. Ils se distinguaient par plusieurs privilèges, portaient un vêtement particulier, parlaient un dialecte qui leur était propre, et la meilleure partie du domaine public était assignée à leur entretien. Les lois même, quoique généralement sévères, ne paraissaient pas avoir été faites pour eux : le peuple, étendant à l'ordre tout entier une part du caractère sacré qui appartenait au souverain, estimait qu'un noble Inca était incapable de crime.

Le second ordre de la noblesse était celui des Curacas, caciques des nations soumises ou leurs descendants. Le gouvernement, en général, les maintenait dans leur charge, mais on exigeait qu'ils visitassent quelquefois la capitale et que leurs fils y fussent élevés, comme garants de leur fidélité. Leur pouvoir passait ordinairement de père en fils, mais quelquefois le peuple choisissait le successeur. Leur autorité était d'ordinaire locale et toujours subordonnée à la juridiction territoriale des puissants gouverneurs qu'on prenait parmi les Incas. C'était, en fait, la noblesse inca qui constituait la force de la monarchie péruvienne. Attachée à son prince par les liens du sang, elle avait les mêmes sympathies, les mêmes intérêts. Après des siècles écoulés, elle conservait encore son individualité. Serrée autour du trône, elle formait une phalange invincible, également prête à le défendre contre les complots et contre l'insurrection. Quoique habitant principalement la capitale, elle était aussi répartie dans tout le pays, occupant les hauts emplois et les dignités militaires, maintenant ainsi des relations avec la Cour, qui permettaient au souverain d'agir simultanément et avec efficacité sur les extrémités les plus éloignées de son empire. Elle possédait de plus une supériorité intellectuelle qui, non moins que sa position, lui donnait de l'autorité auprès du peuple. On peut même dire que ce fut la principale base de sa puissance, et l'on ne saura nier que ce n'ait été la source de cette civilisation particulière et de cette politique qui plaça la monarchie péruvienne au-dessus de tous les autres États d'Amérique du Sud.

Le nom de Pérou n'était pas connu des indigènes. Il fut donné, dit-on, par les Espagnols et provient d'une interprétation erronée du nom indien qui signifie « rivière ». Quoi qu'il en soit, il est certain que les indigènes n'avaient pas d'autre appellation pour désigner les nombreuses tribus et nations rassemblées sous le sceptre des Incas que celle de « Tavantinsuyu ou les quatre quartiers du monde ». En effet le royaume, conformément à son nom, était divisé en quatre parties distinguées chacune par une dénomination propre et à chacune desquelles conduisait une des quatre grandes routes qui rayonnaient autour de Cuzco, capitale de la monarchie péruvienne. Ces quatre grandes provinces étaient placées chacune sous un vice-roi ou gouverneur qui les administrait avec l'assistance d'un ou de plusieurs conseils pour les différents départements. Ces vice-rois passaient au moins une partie de leur temps dans la capitale où ils formaient pour l'Inca une sorte de conseil d'État. Le peuple, en outre, était aussi divisé en corps de cinquante, cent, cinq cents et mille habitants dont chacun était surveillé par un officier. Enfin, l'empire entier était distribué en sections ou départements de dix mille habitants dont chacun avait un gouverneur tiré de la noblesse inca qui exerçait un contrôle sur les Curacas et les autres officiers territoriaux du district.

Les lois étaient peu nombreuses et extrêmement sévères. Elles étaient presque entièrement relatives aux matières criminelles. Il n'en fallait que bien peu d'autres à un peuple qui n'avait pas de monnaie, faisait peu de commerce et n'avait presque rien qu'on pût appeler propriété fixe. Le blasphème et l'imprécation contre le Soleil ou l'Inca étaient punis de mort.

Le territoire de l'empire était divisé en trois parties, l'une pour le Soleil, l'autre pour l'Inca et la dernière pour le peuple. Les terres assignées au Soleil produisaient un revenu qui subvenait à l'entretien des temples, à la

célébration des cérémonies somptueuses du culte péruvien et à faire vivre un clergé nombreux. Celles réservées
à l'Inca servaient à soutenir la dignité royale aussi bien
que le nombreux personnel de sa maison et de sa parenté,
et fournissaient aux besoins du gouvernement. Le reste
des terres était distribué au peuple en proportions
égales. Le territoire était entièrement cultivé par le
peuple. On s'occupait d'abord des terres appartenant
au Soleil. On labourait ensuite les terres des vieillards,
de la veuve et de l'orphelin, ainsi que celles du soldat
en activité de service, en un mot tous les membres de la
société qui, par suite d'une infirmité corporelle ou de
toute autre cause, se trouvaient hors d'état de s'occuper
de leurs affaires.

Ensuite les habitants avaient la liberté de travailler
sur leur propre fonds, chacun pour soi, mais avec l'obligation générale d'assister leurs voisins alors que quelque
circonstance, par exemple la charge d'une famille nombreuse, pouvait l'exiger. Le système appliqué aux
terres l'était aussi pour les manufactures. Les troupeaux
de lamas ou moutons du Pérou, appartenaient exclusivement au Soleil et à l'Inca. Ils étaient innombrables
et répandus dans les diverses provinces, surtout dans les
régions froides du pays, où on les confiait aux soins de
bergers expérimentés qui les conduisaient dans des
pâturages différents suivant les saisons. A une époque
fixe, on faisait la tonte générale de la laine qui était
déposée dans les magasins publics. On la distribuait
ensuite à chaque famille, suivant ses besoins, et on la
remettait aux femmes qui s'entendaient parfaitement
à filer et à tisser. Cela fait, et quand la famille était
pourvue d'un vêtement grossier mais chaud, approprié
au climat froid des montagnes, le peuple était tenu de
travailler pour l'Inca. La quantité d'étoffe exigée, aussi
bien que le genre et la qualité de la façon, était déter-
minée à Cuzco. Tout le monde trouvait à s'occuper,
depuis l'enfant de cinq ans jusqu'à la matrone que des
infirmités n'empêchaient pas de filer la quenouille.

Toutes les mines du royaume appartenaient à l'Inca. Elles étaient exploitées exclusivement à son profit par des personnes familiarisées avec ce genre de service et choisies dans les districts où les mines étaient situées. Tout Péruvien de la classe inférieure était laboureur et, à l'exception de ceux que nous avons désignés, devait pourvoir à sa subsistance en cultivant son lot de terre. Cependant, une faible partie de la société était formée aux arts mécaniques dont quelques-uns servaient le luxe et l'élégance. Les différentes provinces du pays fournissaient des gens particulièrement propres aux divers emplois, qui passaient ordinairement de père en fils.

Une part des produits agricoles et fabriqués était portée à Cuzco, pour satisfaire aux demandes immédiates de l'Inca et de sa cour. Mais la plus grande partie était réunie dans les différentes provinces.

Les impôts qu'avait à supporter le peuple du Pérou semblent avoir été assez lourds. Seul, il devait pourvoir à sa subsistance et, de plus, à l'entretien des autres ordres de l'État. Les membres de la maison royale, les grands seigneurs, et même les fonctionnaires publics et le corps sacerdotal, qui étaient nombreux, étaient tous exempts de taxes. Cependant, ce qu'il y avait de pire pour un Péruvien, c'est qu'il ne pouvait pas améliorer sa condition. Ses travaux étaient pour les autres plus que pour lui-même. La grande loi du progrès n'existait pas pour lui. Privé de monnaie, n'ayant que peu de propriété, il payait ses taxes en travail. C'est là le côté sombre du tableau. Si personne ne pouvait s'enrichir au Pérou, personne ne pouvait, en revanche, s'appauvrir. La loi tendait constamment à favoriser une industrie régulière et la prudence dans la conduite des affaires.

Le système de communications, déjà considérable, reçut un nouveau perfectionnement par l'introduction des postes, suivant le mode mis en pratique par les Aztèques. Cependant les postes péruviennes, établies sur toutes les grandes routes qui conduisaient à la capitale, étaient ordonnées sur un plan bien plus vaste que celles du Mexique. Sur tout le parcours de ces routes, s'élevaient de petits édifices, distants l'un de l'autre de moins de cinq milles, dans chacun desquels stationnaient un certain nombre de coureurs, appelés chasquis, pour transporter les dépêches du gouvernement. Ces dépêches étaient verbales ou transmises au moyen de quipus, et quelquefois accompagnées d'un fil de la frange cramoisie qui ornait le front de l'Inca; ce fil obtenait la même déférence implicite que l'anneau d'un despote d'Orient.

Grâce à ces sages mesures des Incas, les parties les plus éloignées du long territoire péruvien étaient habilement rapprochées entre elles. Pas un mouvement insurrectionnel ne pouvait éclater, pas un ennemi ne pouvait envahir la frontière la plus lointaine sans que la nouvelle ne parvînt à la capitale et que les armées impériales ne fussent en marche sur les routes magnifiques du pays pour les arrêter; car, malgré les protestations pacifiques des Incas, et malgré même la tendance conforme de leurs institutions domestiques, ils étaient constamment en guerre. C'était par la guerre que leur étroit territoire était peu à peu devenu un puissant empire. Comme l'astre qu'ils adoraient, ils agissaient avec une douceur plus efficace que la violence. Ils cherchèrent à gagner les cœurs des tribus sauvages qui les entouraient et à les toucher par des actes de bonté. Quand cette conduite échouait, ils employaient d'autres moyens, mais encore d'un caractère pacifique, et s'efforçaient, par la négociation, la conciliation et des présents faits aux chefs, de les attirer sous leur domination. Ils levaient leurs armées dans toutes les provinces, mais surtout dans celles où le caractère des peuples était particulièrement énergique. Leurs armes étaient celles qu'employaient généralement les nations civilisées ou non, avant l'invention de la poudre, des arcs et des flèches, des lances, une sorte d'épée courte, une hache de combat et des frondes dont ils se servaient très adroitement.

Si la guerre devait être déclarée, le monarque péruvien mettait la plus grande célérité à rassembler ses forces afin de prévenir les mouvements de l'ennemi et empêcher ses alliés de le joindre. Cependant, une fois en campagne, l'Inca ne se montrait pas d'ordinaire disposé à pousser jusqu'au bout ses avantages et à réduire son ennemi à sa merci. Pendant toute la durée de la guerre, il était prêt à écouter des propositions de paix, et bien qu'il s'efforçât de soumettre ses ennemis par l'enlèvement de leurs récoltes et par la famine, il ne permettait à ses troupes aucune violence inutile contre les personnes et les propriétés. Dans ce même esprit de sagesse, il avait grand soin de pourvoir à la sécurité et au bien-être de ses troupes; et quand la guerre se prolongeait, il avait soin de soulager les soldats par des renforts fréquents qui permettaient aux premières recrues de retourner dans leurs familles. Mais, tout en épargnant la vie de ses sujets et de ses ennemis, il ne reculait pas devant des mesures sévères quand elles étaient provoquées par le caractère féroce et obstiné de la résistance. Les annales du Pérou offrent plus d'une page sanglante. Les Incas préparaient l'organisation de leurs nouvelles conquêtes en faisant exécuter un recensement de la population et en ordonnant que le pays fût étudié avec soin pour constater les productions, la nature et la propriété du sol. On faisait ensuite le partage du territoire, d'après le principe adopté par l'empire. On assignait au Soleil, au Souverain, au peuple, leurs parts respectives. L'étendue de la portion attribuée au peuple était réglée par le nombre des habitants, mais la part de chaque individu était uniforme.

Les souverains du Pérou se méfiaient de l'obéissance apparente de leurs nouvelles conquêtes. Ils gardaient dans la capitale, comme nous l'avons vu précédemment, les fils aînés comme garantie de leur fidélité; de plus, comme le fait de ne pas toujours se comprendre avec leurs nouvelles provinces posait des difficultés, ils résolurent d'instituer une langue uniforme, le Quichua, et l'on déclara en même temps que nul ne serait promu aux emplois rapportant honneurs et profits s'il ne parlait cette langue. Toutefois, un autre moyen employé par les Incas pour s'assurer de la loyauté de leurs sujets n'était guère moins remarquable. Si quelque partie d'une conquête récente montrait un esprit opiniâtre de résistance, il n'était pas rare que l'on fît émigrer une part de la population, dix mille habitants ou davantage, dans une contrée éloignée de l'empire qu'occupaient d'anciens vassaux dont la fidélité était assurée. Un nombre égal de ceux-ci était transplanté sur le territoire laissé vacant par les émigrants.

Le but final de ces institutions était la paix intérieure. Mais il semblait qu'elle ne pût s'obtenir que par la guerre au-dehors. La tranquillité au cœur de la monarchie, la guerre sur ses frontières, telle était la condition du Pérou. Par cette guerre, il occupait une partie de sa population et, par la conquête et la civilisation de ses barbares voisins, il assurait le repos de l'autre. Tout roi inca, quoique doux et bienveillant dans sa conduite envers ses sujets, était un guerrier et commandait en personne ses armées. Chaque règne étendait les limites de l'empire. Les années, l'une après l'autre, voyaient revenir dans sa capitale le monarque victorieux, chargé de dépouilles et suivi d'une foule de chefs tributaires. La réception qui l'y attendait était un triomphe. La population sortait tout entière pour lui faire honneur, avec les costumes brillants et pittoresques des différentes provinces, bannières déployées et jonchant de feuillage et de fleurs le chemin du vainqueur. L'Inca, porté dans sa chaise d'or sur les épaules des seigneurs, se rendait en procession solennelle, passant sous les arcs de triomphe élevés sur son chemin, au grand temple du Soleil. Là, sans suite (car le monarque était seul admis dans l'enceinte sacrée), le prince victorieux, dépouillé de ses insignes royaux, les pieds nus et en toute humilité, s'approchait de l'autel et offrait un sacrifice et des actions de grâces à la glorieuse divinité qui protégeait la fortune des Incas. Cette cérémonie terminée, tout le peuple se livrait à la joie.

Nous trouvons dans cette solennité un caractère prononcé de fête religieuse. En effet, toutes les guerres des Péruviens étaient empreintes d'un caractère religieux. La vie de l'Inca n'était qu'une longue croisade contre l'infidèle pour étendre au loin le culte du Soleil, pour tirer le peuple des ténèbres de ses brutales superstitions et le faire participer aux bienfaits d'un gouvernement régulier. Telle était, selon l'expression actuelle, la mission de l'Inca. Ce fut aussi celle du conquérant chrétien qui envahit l'empire du monarque indien. Lequel des deux s'y montra le plus fidèle, c'est à l'histoire de juger.

Les monarques péruviens ne montraient pas une impatience puérile d'étendre leur empire. Ils s'arrêtaient après une campagne et prenaient le temps d'affermir une conquête avant d'en entreprendre une autre. Dans l'intervalle, ils s'occupaient paisiblement de l'administration de leur royaume et des longs voyages qui les rapprochaient de leurs sujets. Durant cet intervalle aussi, leurs nouveaux vassaux avaient commencé à se faire aux institutions étranges de leurs maîtres. Ils apprenaient à connaître le prix d'un gouvernement qui les élevait au-dessus des maux physiques d'un état de barbarie, leur assurait la protection des personnes et une entière participation à tous les privilèges dont jouissaient leurs vainqueurs. A mesure qu'ils se familiarisaient davantage avec les institutions particulières de l'empire, l'habitude, cette seconde nature, les attachait d'autant plus fortement à ces institutions qu'elles étaient plus singulières.

Ainsi s'éleva, par degrés et sans violence, le grand édifice de l'empire péruvien, composé de tribus nombreuses, indépendantes et même hostiles, soumises cependant à l'influence d'une même religion, d'une même langue et d'un gouvernement commun, comme une seule nation, attachée à ses institutions et loyalement dévouée à son souverain.

Quel contraste avec la monarchie aztèque, sur le

continent voisin, qui, également composée d'éléments hétérogènes, sans principe intérieur de cohésion, n'était maintenue que par la dure pression extérieure de la force physique! On verra, dans les pages qui suivent, pourquoi la monarchie péruvienne ne résista pas mieux que sa rivale au choc de la civilisation européenne.

* * *

Outre le soleil, les Incas rendaient un culte à divers objets qui se rattachaient d'une manière ou d'une autre à cette divinité principale. Telle était la lune, sa sœur et sa femme; les étoiles, réservées comme faisant partie de son cortège céleste, bien que la plus belle d'entre elles, Vénus, connue des Péruviens sous le nom de Chasca ou « le jeune homme aux cheveux longs et bouclés », fût adorée comme page du soleil qu'elle accompagne de si près à son lever et à son coucher. Ils dédiaient aussi des temples au tonnerre et à l'éclair en qui ils reconnaissaient les redoutables ministres du soleil, et à l'arc-en-ciel qu'ils adoraient comme une belle émanation de leur glorieuse divinité.

En outre, les sujets des Incas rangeaient au nombre de leurs divinités inférieures plusieurs objets de la nature tels que les éléments, les vents, la terre, l'air, les grandes montagnes et les grands fleuves qui les frappaient d'une impression de grandeur et de puissance ou qu'ils supposaient exercer d'une manière quelconque une influence mystérieuse sur les destinées de l'homme.

Mais le culte du soleil occupait spécialement les Incas et était l'objet de leur prodigalité. Le plus ancien des nombreux temples, dédiés à cette divinité, était dans l'île du lac Titicaca d'où les auteurs de la race royale, disait-on, étaient sortis. Ce sanctuaire était particulièrement respecté. Tout ce qui en dépendait, même les vastes champs de maïs qui entouraient le temple et faisaient partie de son domaine, participaient à sa sainteté. Le produit annuel était distribué par petites quantités entre les divers dépôts publics pour sanctifier le reste de l'approvisionnement.

Le plus renommé des temples péruviens, l'orgueil de la capitale et la merveille de l'empire, était à Cuzco où la munificence d'une suite de souverains l'avait tellement enrichi qu'il reçut le nom de Coricancha ou « le lieu d'or ». L'intérieur du temple surtout était digne d'admiration. C'était, à la lettre, une mine d'or. Sur la muraille occidentale était représentée l'image de la divinité : une figure humaine sortant du milieu d'innombrables rayons de lumière qui paraissaient en jaillir de tous côtés, comme chez nous on personnifie quelquefois le soleil. Cette figure était gravée sur une plaque d'or massif de dimensions énormes, parsemée d'une multitude d'émeraudes et de pierres précieuses. Elle était placée en face de la grande porte orientale, de sorte que le matin, les rayons du soleil levant venaient la frapper directement, illuminant tout l'édifice d'une clarté qui paraissait surnaturelle. L'or, dans le langage du peuple, était « les larmes versées par le soleil » et toutes les parties de l'intérieur du temple étincelaient de plaques polies et de têtes de clous de ce précieux métal. Les corniches entourant les murs du sanctuaire étaient de la même matière.

Attenantes à la construction principale, s'élevaient plusieurs constructions de dimensions moindres. L'une d'elles était consacrée à la lune, divinité qui tenait le second rang dans la vénération publique, comme mère des Incas. Toutes les décorations de l'édifice étaient d'argent, comme il convenait à la lueur pâle et argentée de cette belle planète.

Toute la vaisselle, les ornements, les ustensiles de toute espèce affectés aux usages religieux, étaient d'or et d'argent. Douze vases immenses de ce dernier métal se dressaient sur le plancher du grand salon, remplis de graines de maïs; les encensoirs pour les parfums, les aiguières qui contenaient l'eau pour les sacrifices, étaient tous de la même matière précieuse.

A la tête de tout le clergé du Coricancha et du reste

du pays était placé le grand-prêtre, ou Villac Vmu, comme on l'appelait. L'Inca seul était au-dessus de lui, et on choisissait d'ordinaire le grand-prêtre parmi ses frères ou ses plus proches parents. Il était nommé par le monarque et inamovible. A son tour, il nommait à tous les emplois subalternes de son ordre. Ceux de ses membres qui officiaient dans la Maison du Soleil à Cuzco étaient choisis exclusivement dans la race sainte des Incas.

Les vierges du Soleil, les « élues » comme on les appelait, présentent une analogie singulière avec les institutions catholiques. C'étaient des jeunes filles vouées au service de la divinité, qui étaient retirées de leurs familles dès leur jeune âge et mises dans des couvents où elles étaient placées sous la direction de matrones âgées, mamaconas, qui avaient vieilli dans les murs de ces monastères. L'Inca seul et la Coya, ou reine, pouvaient entrer dans l'enceinte consacrée. On surveillait avec soin leurs mœurs et, chaque année, des visiteurs étaient envoyés pour inspecter les institutions et faire des rapports sur l'état de leur discipline. Malheur à l'infortunée convaincue d'une intrigue! D'après la loi sévère des Incas, elle devait être enterrée vivante, son amant étranglé et la ville ou le village auquel il appartenait rasé jusqu'au sol et « semé de pierres » comme pour effacer jusqu'à la mémoire de son existence.

Cependant, la carrière de toutes les habitantes de ces cloîtres n'était pas confinée dans leurs étroites enceintes. Quoique vierges du Soleil, elles étaient les fiancées de l'Inca et, lorsqu'elles arrivaient à l'âge nubile, les plus belles étaient destinées à son lit et transférées au sérail royal. Ce sérail s'éleva avec le temps, à des centaines, puis à des milliers de femmes, qui toutes trouvaient des logements dans les différents palais royaux qui se dressaient par tout le pays. Loin d'être déshonorée par la situation qu'elle avait occupée, la vierge du Soleil était l'objet d'un respect universel comme fiancée de l'Inca.

La polygamie était permise aux grands du Pérou

comme à leur souverain. Le peuple, en général, soit par
la loi, soit par la nécessité plus forte que la loi, était
heureusement limité à une seule femme. Les mariages
se faisaient d'une manière qui leur donnait un caractère
tout aussi original que celui des autres institutions.
Chaque année, au jour fixé, on rassemblait dans tout
l'empire tous ceux qui étaient en âge de se marier.
L'Inca présidait en personne l'assemblée de ses propres
parents et, prenant les mains des différents couples qui
devaient être unis, il les mettait les unes dans les autres,
déclarant les parties mari et femme. Aucun mariage
n'était valide sans le consentement des parents, et la
préférence des parties devait aussi être consultée.

Les règlements extraordinaires touchant le mariage
sous les Incas caractérisent éminemment le génie du
gouvernement qui, loin de se borner aux objets d'intérêt
public, pénétra dans les détails les plus intimes de la vie
domestique, ne permettant à aucun homme d'agir
pour son compte, même dans ces circonstances personnelles où nul autre que lui, ou sa famille tout au plus,
ne pouvait être regardé comme intéressé.

La science n'était pas destinée au peuple mais aux
nobles. « Elle ne fait que bouffir et rendre vaines et arro-
gantes les personnes d'un rang inférieur. De telles
personnes ne devraient pas non plus s'immiscer dans les
affaires du gouvernement, car cela ferait tomber les
hautes charges en discrédit et porterait préjudice à
l'État. » Telle était la maxime favorite, souvent répétée,
de Tupac Inca Yupanqui, l'un des plus célèbres monarques péruviens. Il peut sembler étrange qu'une telle
maxime ait jamais été proclamée dans le Nouveau
Monde où les institutions populaires ont été établies
sur une échelle plus étendue qu'on ne les avait jamais
vues auparavant. Cependant, cette maxime était stricte-
ment conforme au génie de la monarchie péruvienne.

Telle était la condition humiliante du peuple sous
les Incas, pendant que les nombreuses familles du sang
royal jouissaient du bienfait de toutes les lumières de

l'éducation que pouvait fournir la civilisation du pays. On leur enseignait à parler leur langue avec pureté et avec élégance et ils s'instruisaient de la science mystérieuse des quipus, qui donnait aux Péruviens les moyens de se communiquer leurs idées et de les transmettre aux générations futures.

Le quipu était une corde d'environ deux pieds de long, composée de fils de diverses couleurs fortement tordus, à laquelle étaient suspendus, en manière de frange, une quantité de fils plus petits. Les fils étaient de couleurs différentes et formaient des nœuds. Les couleurs exprimaient des objets sensibles; par exemple : le blanc représentait l'argent et le jaune l'or. Quelquefois aussi, elles désignaient des idées abstraites. Ainsi, le blanc signifiait la paix et le rouge la guerre. Mais les quipus étaient surtout employés pour calculer. Les nœuds tenaient lieu de chiffres et pouvaient être combinés de manière à exprimer les nombres, quelque élevés qu'ils fussent. Par ce moyen, ils faisaient leurs calculs avec une grande rapidité et les premiers Espagnols qui visitèrent le pays témoignèrent de leur exactitude.

Dans les principales communautés étaient établis des annalistes dont l'occupation était d'enregistrer les événements les plus importants. D'autres fonctionnaires d'un rang plus élevé, ordinairement les amautas, étaient chargés de l'histoire de l'empire et choisis pour faire la chronique des grandes actions de l'Inca régnant ou de ses ancêtres. Le récit, ainsi disposé, ne pouvait être communiqué que par la tradition orale, mais les quipus servaient au chroniqueur pour arranger les incidents avec méthode et pour secourir sa mémoire. L'histoire, une fois amassée dans l'esprit, y était gravée d'une manière indélébile, par une fréquente répétition. Elle était redite par l'amauta à ses élèves.

L'emploi consistant à enregistrer les annales nationales n'était pas exclusivement réservé aux amautas. Il était exercé en partie par les haravèques ou poètes, qui choisissaient les sujets les plus brillants pour leurs chansons et leurs ballades qui se chantaient aux fêtes royales et à la table de l'Inca. De cette manière se forma un ensemble de poésies traditionnelles par lesquelles le nom de plus d'un chef barbare, qui aurait pu périr faute d'historien, arriva à la postérité à la faveur d'une mélodie rustique.

Outre les genres de compositions déjà mentionnés, on dit que les Péruviens montraient quelque talent pour les représentations théâtrales. Les pièces péruviennes aspiraient au rang de compositions dramatiques, soutenues par les caractères et le dialogue, composées quelquefois sur des sujets d'un intérêt tragique et quelquefois sur d'autres qui, par leur nature légère et empruntée aux relations familières, appartiennent à la comédie.

L'esprit des Péruviens semble avoir été marqué par une tendance au raffinement. Ils avaient quelques idées de la géographie, relatives à leur empire qui était, il est vrai, fort étendu, et ils construisaient des cartes avec des lignes en relief pour marquer les limites et les localités, semblables à celles employées par les aveugles.

On aurait pu croire que les Incas, les glorieux enfants du Soleil, auraient fait une étude particulière des phénomènes des cieux et auraient construit un calendrier sur des principes aussi scientifiques que celui de leurs voisins demi-civilisés. Mais, s'ils furent moins heureux dans l'exploration du ciel, l'on doit accorder que les Incas ont surpassé toute autre race américaine dans leur domination terrestre. Ils pratiquaient l'agriculture selon des principes qu'on peut dire véritablement scientifiques. Elle était la base de leurs institutions politiques. N'ayant pas de commerce extérieur, c'était l'agriculture qui leur fournissait les moyens de leurs échanges intérieurs, leur subsistance et leurs revenus. Nous avons vu les mesures remarquables qu'ils prenaient pour distribuer la terre en parts égales entre les gens du peuple, en exigeant de chacun, les ordres privilégiés exceptés, de concourir à la cultiver.

Dans le même esprit d'économie agricole qui préservait les rochers de la Sierra de la stérilité, ils creusaient le sol aride des vallées et cherchaient une couche où l'on pût trouver une humidité naturelle. Ces excavations, appelées par les Espagnols hoyas ou puits, se faisaient sur une grande échelle, renfermant souvent plus d'un acre, creusées à la profondeur de quinze ou vingt pieds et entourées d'un mur d'adobes ou briques cuites au soleil. Dans le fond de l'excavation, bien préparé par un riche engrais de sardines — petit poisson que l'on trouvait en grande quantité le long des côtes — on plantait quelque espèce de grain ou de légume.

La politique des Incas, après avoir pourvu de moyens d'irrigation une contrée déserte et l'avoir ainsi rendue propre au travail du laboureur, consistait à y transplanter une colonie de mitimaes qui la mettaient en culture en lui faisant produire les récoltes les mieux appropriées au sol. Le climat tempéré des plateaux leur fournissait le maguey (Agave americana) dont ils connaissaient la plupart des qualités extraordinaires, mais non la plus importante, qui est de fournir une matière première pour la fabrication du papier. Le tabac était aussi un des produits de cette région élevée. Cependant, les Péruviens différaient de toutes les autres nations indiennes qui le connaissaient, en ce qu'ils l'employaient seulement en médecine, sous forme de prise. Plus haut sur les pentes des Cordillères, au-delà des limites du maïs et du quinoa, grain ayant quelque rapport avec le riz et cultivé en grand par les Indiens, devait se trouver la pomme de terre, dont l'introduction en Europe a fait époque dans l'histoire de l'agriculture.

Pour leurs fabrications domestiques, ils trouvaient des avantages particuliers dans une matière première incomparablement supérieure à tout ce que possédaient les autres races du continent occidental. Ils remplaçaient très bien le lin par un produit qu'ils savaient tisser comme les Aztèques, avec le fil flexible du maguey. Le coton croissait en abondance sur le sol bas et torride de la côte et leur fournissait un vêtement assorti aux latitudes chaudes du pays.

Des quatre variétés du mouton péruvien, celle du lama, qui est la plus connue, est la moins estimée pour sa laine. Le lama est surtout employé comme bête de somme et, bien qu'il soit un peu plus grand que les autres espèces, sa petite taille et son peu de force sembleraient le rendre peu propre à cette destination.

L'emploi des animaux domestiques distinguait les Péruviens des autres races du Nouveau Monde. Cette économie du travail humain remplacé par celui des animaux est un élément important de la civilisation, qui ne le cède qu'à l'avantage obtenu par la substitution des machines à l'un et à l'autre. Cependant, les anciens Péruviens semblent en avoir tenu beaucoup moins compte que les conquérants espagnols, et avoir apprécié le lama comme les autres animaux de ce genre, principalement pour sa toison.

On tirait les plus abondantes quantités de laine, non de ces animaux domestiques, mais des deux autres espèces, les huanacos et les vicunas, qui erraient en liberté sur les sommets glacés des Cordillères. Le gibier sauvage de la forêt et de la montagne était la propriété du gouvernement, autant que s'il eût été renfermé dans un parc ou dans un bercail. Les chasses ne pouvaient se répéter dans la même partie du pays plus d'une fois en quatre ans, délai devant être accordé pour réparer les destructions qu'elles occasionnaient.

On abattait le daim mâle et quelques-uns des animaux de l'espèce commune des moutons péruviens. Leurs peaux étaient réservées aux fabrications utiles et variées habituelles et leur chair, coupée en tranches minces, était distribuée au peuple qui la convertissait en charqui, viande séchée du pays, qui constituait alors la seule, et depuis a constitué la principale nourriture animale des classes inférieures du Pérou.

Les Péruviens montraient beaucoup d'adresse à fabriquer les différents articles destinés à la maison royale et faits de cette matière moelleuse qui, sous le nom de laine vigogne, est devenue familière aux métiers à tisser de l'Europe. Les Péruviens produisaient aussi un tissu très fort et très solide en mêlant à la laine les poils des animaux, et ils excellaient dans les beaux ouvrages en plumes, qu'ils estimaient pourtant moins que les Mexicains.

J'ai déjà parlé des grandes quantités d'or et d'argent façonnées en divers objets élégants et utiles par les Incas. Mais elle est peu comparable aux richesses minérales de la terre et de ce qui en a été obtenu depuis par la cupidité de l'homme blanc. Les Incas recueillaient principalement l'or dans les cours d'eau. Ils n'essayaient pas, cependant, de pénétrer dans les entrailles de la terre en perçant des puits. Ils creusaient simplement une caverne dans les flancs escarpés de la montagne ou, au mieux, ouvraient une veine horizontale d'une profondeur modérée. Ils ne connaissaient aussi qu'imparfaitement les meilleurs moyens de séparer le métal précieux des scories auxquelles il était mêlé et n'avaient aucune idée des propriétés du mercure, métal qui n'est pas rare au Pérou, comme amalgame pour effectuer cette décomposition. Ils fondaient l'or au moyen de fours bâtis sur des lieux élevés et exposés au vent où le feu pouvait être attisé par les fortes brises des montagnes.

L'architecture péruvienne, portant aussi les caractères généraux d'un état de civilisation imparfaite, avait encore son caractère particulier, et ce caractère était si uniforme que les édifices dans tout le pays semblent tous avoir été jetés dans le même moule. Ils étaient ordinairement bâtis en porphyre ou en granit, et assez fréquemment en briques. Cette brique, qui était formée en blocs ou carrés d'une dimension beaucoup plus grande que les nôtres, se faisait avec une terre molle, mêlée de roseaux ou d'herbes flexibles et acquérait, avec le temps, une dureté qui la rendait également indestructible aux orages et aux ardeurs plus fatales encore du soleil des tropiques. Les murs étaient d'une grande épaisseur, mais bas, atteignant rarement plus de douze ou quatorze pieds de haut. Il est rarement fait mention de bâtiments s'élevant à plus de deux étages.

L'architecture des Incas est caractérisée, dit un voyageur éminent, « par la simplicité, la symétrie et la solidité ». Cependant, les édifices des Incas étaient appropriés à la nature du climat et étaient bien faits pour résister à ces terribles convulsions qui ravagent la terre des volcans. La sagesse de leur plan est attestée par le grand nombre d'édifices qui subsistent encore, tandis que les constructions plus modernes des conquérants sont tombées en ruines. La main des conquérants s'est, à la vérité, appesantie sur ces monuments vénérables et, dans la recherche aveugle et superstitieuse de trésors cachés, ils ont causé beaucoup plus de ruines que le temps ou les tremblements de terre. Il reste cependant un nombre suffisant de ces monuments pour susciter les recherches.

* * *

Je ne puis terminer cette analyse des institutions péruviennes sans quelques réflexions sur leur caractère et leurs tendances générales. Nous ne pouvons qu'être frappés de la dissemblance complète qui existe entre ces institutions et celles des Aztèques, l'autre grande nation qui était à la tête de la civilisation sur le continent américain et dont l'empire dans le nord fut aussi remarquable que celui des Incas dans le sud. Les deux nations commencèrent leur carrière de conquêtes à des dates peut-être assez rapprochées l'une de l'autre.

La politique suivie par les deux races dans leur carrière militaire est très différente. Les Aztèques, animés d'une énergie féroce, firent une guerre d'extermination, signalant leurs triomphes par des hécatombes de prisonniers, tandis que les Incas, quoiqu'ils poursuivissent leurs conquêtes avec une persévérance égale, préféraient une politique plus douce, substituant les négociations et l'intrigue à la violence, et se conduisaient avec leurs adversaires de manière à ne pas paralyser leurs ressources à venir et à ce qu'ils pussent entrer comme amis, et non comme ennemis, au sein de l'empire.

Leur politique envers les vaincus formait un contraste non moins frappant avec celle des Aztèques. Les vassaux mexicains étaient accablés d'impôts et de levées militaires. On n'avait aucun égard pour leur bien-être, et la seule limite à l'oppression était celle de leur patience. Ils étaient tenus en respect par des forteresses et des garnisons armées et on leur faisait sentir, à toute heure, qu'ils ne faisaient pas partie de la nation. Les Incas, au contraire, admettaient immédiatement leurs nouveaux sujets à tous les droits sociaux et, bien qu'ils les obligeassent à observer les lois et les usages établis par l'empire, ils veillaient à leur sûreté personnelle et à leur bien-être, avec une sorte de sollicitude paternelle. La population, mélangée, ainsi réunie par l'intérêt commun, était animée d'un même sentiment de loyauté qui donnait à l'empire plus de force et de stabilité à mesure qu'il s'étendait davantage, tandis que les tribus différentes qui passèrent successivement sous le joug mexicain, n'étant maintenues que par la pression extérieure, étaient prêtes à se séparer dès que cette force se retirait. La politique des deux nations montrait le principe de la crainte en opposition à celui de l'amour.

Les traits caractéristiques de leurs systèmes religieux ne se ressemblaient pas davantage. Les rites des Péruviens relevaient d'un culte plus spirituel. Car le culte qui se rapproche le plus de l'adoration du Créateur est celui des corps célestes qui, en parcourant leurs splendides orbites, semblent être les plus glorieux symboles de ses bienfaits et de sa puissance.

Les deux peuples montraient beaucoup d'adresse dans la pratique minutieuse des arts techniques, mais dans la construction des ouvrages publics importants, des routes, des aqueducs, des canaux et dans tous les détails de l'agriculture, les Péruviens se montrèrent supérieurs.

Il est étrange qu'ils soient restés si loin de leurs rivaux dans la culture supérieure de l'intelligence, dans l'astronomie spécialement et dans l'art de communiquer la pensée par des symboles visibles.

Il est probable que les Mexicains et les Péruviens, si différents par leur civilisation respective, ignoraient mutuellement leur existence. Il peut paraître singulier que pendant la durée simultanée de leurs empires, quelques-unes de ces semences d'art et de science, qui passent si imperceptiblement d'un peuple à l'autre, n'aient pas fait leur chemin à travers l'espace qui séparait les deux nations. Cela fournit un exemple intéressant des directions opposées que peut prendre l'esprit humain dans ses efforts pour se dégager des ténèbres et s'élever à la lumière de la civilisation.

L'autorité de l'Inca pouvait se comparer à celle du Pape au faîte de sa puissance, lorsque la chrétienté tremblait sous les foudres du Vatican et que le successeur de saint Pierre posait le pied sur la tête des princes. Mais l'autorité du Pape était fondée sur l'opinion, sa puissance temporelle n'était rien. L'empire inca était fondé sur les deux bases. C'était une théocratie plus puissante dans son action que celle des Juifs, dont la loi était expliquée par un législateur humain, serviteur et représentant de la divinité, tandis que l'Inca était à la fois le législateur et la loi. Il n'était pas simplement le représentant de la divinité ou, comme le Pape, son vicaire, mais il était la divinité elle-même. Violer ses ordres était un sacrilège. Jamais forme de gouvernement ne fut appuyée par de si terribles sanctions et n'atteignit si profondément les hommes qui lui étaient soumis; il s'étendait non seulement aux actes visibles, mais à la conduite privée, aux paroles, aux pensées même des sujets.

Les lois étaient soigneusement combinées pour la sécurité et le bien-être du peuple. Il n'était pas permis de l'employer à des travaux nuisibles à sa santé, ni de l'accabler sous le fardeau de tâches au-dessus de ses forces.

La politique suivie ordinairement par les Incas pour prévenir les maux qui pouvaient troubler l'ordre se montre bien dans les précautions qu'ils prenaient contre la pauvreté et la paresse. Ils y reconnaissaient, avec raison, les deux grandes causes de la désaffection dans un État populeux.

Il n'est pas aisé de comprendre le génie et la portée d'institutions si opposées à celles d'une République libre où chaque homme, aussi humble que soit sa condition, peut aspirer aux plus grands honneurs de l'État, choisir sa carrière et faire fortune à sa manière; où la lumière de la science, au lieu d'être concentrée sur un petit nombre d'élus, se répand de toutes parts comme la clarté du jour et peut également tomber sur le pauvre et sur le riche; où le conflit des individus éveille une généreuse émulation qui provoque les talents et impose aux facultés leur développement le plus énergique; où le sentiment de l'indépendance inspire à l'individu une confiance en lui-même, inconnue aux sujets timides du despotisme; où enfin le gouvernement est fait pour l'homme tandis qu'au Pérou, l'homme ne semblait fait que pour le gouvernement.

Le témoignage des conquérants espagnols n'est pas uniforme à l'égard de l'influence salutaire que les institutions péruviennes exerçaient sur le caractère des indigènes. Boire et danser étaient, dit-on, les plaisirs auxquels ils s'adonnaient sans modération; semblables en cela aux esclaves et aux serfs d'autres pays, que leur position excluait des occupations sérieuses et nobles, ils les remplaçaient par des plaisirs sensuels. Paresseux, voluptueux, licencieux, sont les épithètes qui leur sont données par un de ceux qui les virent à l'époque de la conquête, mais dont la plume n'aimait guère les Indiens. Toutefois, l'esprit d'indépendance ne pouvait être fort chez un peuple qui n'avait pas d'intérêt territorial, ni de droit personnel à défendre.

Nous ne devons pas juger trop sévèrement le malheureux indigène pour avoir succombé devant la civi-

lisation des Européens. Il faut tenir compte des résultats
véritablement remarquables obtenus par le gouvernement des Incas. Nous ne devons pas oublier que, sous
leur domination, les plus basses classes jouissaient
d'un bien plus haut degré de bien-être personnel ou du
moins étaient plus à l'abri de la souffrance physique que
dans les classes similaires des autres nations du continent
américain et probablement de la plupart des contrées
de l'Europe féodale. Sous leur sceptre, les hautes classes
de l'État avaient progressé dans plusieurs des arts qui
sont l'apanage d'une société cultivée. Les bases d'un
gouvernement régulier avaient été posées et, dans un
siècle de rapine, elles assuraient aux sujets les bienfaits
inestimables de la paix et de la sécurité. Par la politique
continue des Incas, les tribus sauvages des forêts sortirent graduellement de leurs repaires et entrèrent dans le
domaine de la civilisation. De ces éléments se forma un
empire florissant et populeux, tel qu'on n'en pouvait
trouver dans nulle autre partie du continent américain.
Les défauts de ce gouvernement étaient ceux d'une
législation trop raffinée, les derniers qu'on s'attendrait
à trouver chez les aborigènes de l'Amérique.

LIVRE DEUXIEME

Pizarre
et la découverte du Pérou

Pizarre
et la découverte du Pérou

Les perfectionnements de la navigation, la mesure la plus exacte du temps, et par-dessus tout la découverte de la polarité de l'aimant, firent beaucoup avancer la science géographique. Au lieu de longer timidement la côte, ou de limiter ses expéditions aux bassins étroits des mers intérieures, le voyageur put alors déployer hardiment ses voiles sur l'océan, sûr de posséder un moyen de diriger infailliblement son navire à travers la solitude sans limites. Le navigateur commença à chercher avec ardeur un autre chemin, pour parvenir aux îles indiennes des Épices, que celui suivi par les caravanes à travers les déserts de l'Asie. Les nations qui portèrent au plus haut cet esprit d'entreprise furent l'Espagne et le Portugal, placées aux avant-postes du continent européen et dominant le grand théâtre des futures découvertes. Le but de Christophe Colomb était encore la découverte d'une route vers les Indes, mais par l'ouest et non par l'est. Il ne s'attendait point à trouver un continent sur sa route; après des voyages répétés, il persista dans son erreur. Colomb mourut, on le sait, convaincu d'avoir atteint le rivage oriental de l'Asie.

Sous l'impulsion de cet esprit d'entreprise qui animait les États maritimes de l'Europe au XVIe siècle, toute l'étendue du vaste continent, depuis le Labrador jusqu'à la Terre de Feu, fut explorée en moins de trente ans à dater du moment de la découverte; et en 1521, le Portugais Magellan, naviguant sous le pavillon espagnol, résolut le problème du détroit et trouva la route occidentale des îles indiennes des Épices, si longtemps cherchée, au grand étonnement des Portugais qui, arrivant du côté opposé, rencontraient leurs rivaux face à face aux antipodes. Mais, tandis que toute la côte orientale du continent américain avait été explorée, et le centre colonisé, le voile qui couvrait les rivages dorés de l'océan Pacifique n'était pas encore levé. Des murmures incertains de la renommée étaient parvenus de temps en temps aux Espagnols, au sujet des contrées lointaines de l'Ouest, produisant abondamment le métal, objet de leurs désirs, mais la première notion précise du Pérou leur parvint vers 1511, lorsque Vasco Nuñez de Balboa, qui avait découvert la mer du Sud, s'occupait à peser l'or qu'il avait reçu des indigènes.

Parmi les gouverneurs des colonies espagnoles qui devaient leur situation à leur rang en Europe, se trouvait don Pedro Arius de Avila, ou Pedrarias, comme on l'appelait habituellement. C'était un homme de quelque expérience militaire, et d'une grande énergie, mais d'un naturel méchant. Cet homme se trouvait sur le territoire de Castilla del Oro, endroit choisi par Nuñez de Balboa comme le théâtre de ses découvertes. Le succès de ce dernier lui attira la jalousie de son supérieur, car c'était un crime, aux yeux de Pedrarias, de trop bien mériter. Quoique Pedrarias voulût abréger la carrière de son glorieux rival, il n'était pas insensible aux conséquences importantes de ses découvertes. Il vit en même temps que la province du Darien était mal placée pour suivre des expéditions sur le Pacifique et, conformément à l'inspiration première de Balboa, en 1519, il fit transférer sa capitale naissante des rivages de l'Atlantique à l'ancienne position de Panama, à quelque distance à l'est de la ville actuelle de ce nom. Ce fut seulement en 1522 qu'une expédition régulière fut envoyée au sud de Panama, sous la conduite de Pasquale de Andagoya, cavalier très distingué de la colonie. Mais cet officier pénétra seulement jusqu'à Puerto de Pinas, limites des découvertes de Balboa et, là, le mauvais état de sa santé le força de se rembarquer et d'abandonner l'entreprise à ses débuts. Cependant, les bruits répandus sur la richesse et la civilisation d'une nation puissante au sud arrivaient continuellement aux oreilles des colons et enflammaient les imaginations. L'éblouissante conquête du Mexique donna une nouvelle impulsion à l'ardeur des découvertes. En 1524, il se trouva dans la colonie trois hommes en qui l'esprit d'aventure triompha de toutes les considérations de difficulté et de danger qui arrêtaient la poursuite de l'entreprise. L'un d'eux fut choisi comme étant capable, par son caractère, de la mener à bien. Cet homme était François Pizarre, et comme il joua dans la conquête du Pérou le même rôle que Cortez dans celle du Mexique, il sera nécessaire de donner un aperçu succinct de son passé.

On tient pour certain que le jeune Pizarre était d'une humble origine et qu'il reçut peu de soins de ses parents. On le laissa grandir au gré de la nature. On ne lui apprit ni à lire, ni à écrire, et sa principale occupation était de garder les pourceaux. Mais cette vie nonchalante ne convint plus à l'esprit remuant de Pizarre, devenu grand, lorsqu'il entendit les récits du Nouveau Monde, si répandus et si séduisants pour une jeune imagination. Il partagea l'enthousiasme populaire et profita d'un moment favorable pour abandonner son humble occupation et s'enfuir à Séville, où s'embarquaient les aventuriers espagnols pour chercher fortune vers l'ouest.

Nous entendons parler de lui pour la première fois au Nouveau Monde dans l'île d'Hispaniola, en 1510, où il prit part à l'expédition du Ruraba dans la Terre Ferme, sous Alonzo de Ojeda. Plus tard, nous le trouvons associé à Balboa, et travaillant avec lui à fonder l'établissement de Darien. Après la mort prématurée de son chef, Pizarre s'attacha à la fortune de Pedrarias et fut employé par ce gouverneur dans plusieurs expéditions militaires. En 1515, il fut choisi, avec un autre cavalier nommé Moralès, pour traverser l'isthme et trafiquer avec les indigènes sur la côte du Pacifique. Mais toutes ces expéditions, quelque gloire qu'elles aient pu lui apporter, ne produisaient que très peu d'or; à l'âge de cinquante ans, le capitaine Pizarre ne se trouvait en possession que d'une certaine étendue de terrains insalubres dans le voisinage de la capitale, et d'un repartimiento[1] d'indigènes que l'on jugeait proportionné à ses états de services militaires.

Lorsqu'en 1522, Andagoya revint de son expédition inachevée au sud de Panama, rapportant des renseignements plus abondants que ceux qu'on possédait jusque-là sur l'opulence et la grandeur des contrées situées dans cette direction, Pizarre, très intéressé par ces pays nouveaux, décida de partir. A cette époque, il fit la connaissance de Diego de Almagro, un soldat de fortune un peu plus âgé que lui, sur qui l'on sait peu de choses jusqu'à l'époque où commence notre histoire. Almagro avait acquis la réputation d'un vaillant soldat. Il était d'un caractère franc et libéral, assez emporté, très passionné. Pizarre rencontra, en même temps qu'Almagro, Fernand de Luque, ecclésiastique espagnol

---

[1] *Repartimiento* : terre attribuée par le roi d'Espagne à l'un de ses sujets, à charge pour ce dernier de la faire cultiver par les indigènes. L'*encomienda* (nous verrons le terme plus loin) était une concession de terres faite par le Roi comme récompense à des privilégiés, avec délégation de ses droits et pouvoirs, ce qui impliquait une collaboration entre l'Espagnol et les indigènes.

qui exerçait les fonctions de vicaire à Panama et avait autrefois été maître d'école dans le diocèse de Darien. Il semble avoir été un homme d'une grande prudence et, connaissant le monde, il avait acquis une grande influence dans la petite communauté à laquelle il appartenait. Ces trois hommes s'associèrent et il fut décidé entre eux que les deux aventuriers contribueraient, certes, à soutenir les dépenses de l'expédition, mais que la plus grande partie des fonds serait fournie par Luque. Pizarre dut prendre le commandement de l'expédition et Almagro se chargea du soin de fournir les vivres et d'équiper les vaisseaux. Les associés obtinrent sans difficulté le consentement du gouverneur à leur entreprise.

Ainsi soutenu par les fonds de Luque et fort du consentement du gouverneur, Almagro hâta les préparatifs du voyage. On acheta deux petits vaisseaux, dont Balboa avait construit le plus grand pour son propre compte, en vue de la même expédition. Il fut plus difficile de recruter le nombre d'hommes nécessaires, car un sentiment général de défiance entourait les entreprises faites dans cette direction, et il n'était pas facile à surmonter. Almagro forma un corps d'un peu plus de cent hommes. Tout étant prêt, Pizarre prit le commandement et, levant l'ancre, partit du petit port de Panama vers le milieu de novembre 1524. Almagro devait le suivre dans un second vaisseau plus petit, aussitôt qu'il pourrait être paré. Doublant le Puerto de Pinas, le petit vaisseau entra dans le port de Piru. Après avoir remonté la rivière sur deux lieues, Pizarre jeta l'ancre et, débarquant toutes ses forces à l'exception des matelots, il s'avança à leur tête pour explorer la contrée. Ils pénétrèrent difficilement à travers les épaisses broussailles entrelacées. La chaleur était, par moments, accablante. Succombant de fatigue et exténués par le manque de nourriture, ils tombaient à terre d'épuisement. Tel fut le sinistre commencement de l'expédition du Pérou. Regagnant leur vaisseau, ils descendirent la rivière et continuèrent leur navigation vers le sud sur le grand Océan.

Après avoir suivi la côte pendant quelques lieues, Pizarre, contrarié dans sa route par une succession de tempêtes affreuses, fut obligé de jeter l'ancre. Complètement découragés par l'aspect du pays, les Espagnols commencèrent à comprendre qu'ils n'avaient rien gagné en passant de la mer sur la côte et ils éprouvèrent la crainte la plus sérieuse de mourir de faim dans une région qui n'offrait rien que les baies malsaines qu'ils pouvaient cueillir dans les bois. Il était inutile, disaient-ils, de lutter contre le sort et il valait mieux courir la chance de regagner le port de Panama à temps pour sauver leurs vies, que de rester dans un lieu où ils devaient mourir de faim. Mais Pizarre était résolu à faire face à des maux bien pires plutôt que de manquer à ses engagements. Il employa tous les arguments que pouvaient suggérer l'orgueil et l'avarice pour détourner ses compagnons de leur projet. Cependant, comme ils avaient grand besoin de ravitaillement, il résolut de renvoyer le vaisseau à l'île des Perles, sous le commandement de Montenegro, afin de rapporter des provisions qui missent ses compagnons en état de continuer leur route avec une confiance nouvelle. Les jours, les semaines se passèrent et on n'avait aucune nouvelle du vaisseau qui devait apporter du secours aux malheureux aventuriers. Plus de vingt hommes de la petite troupe étaient déjà morts, et les survivants semblaient devoir bientôt les suivre.

Dans cette crise, on dit à Pizarre qu'une lumière avait été vue à travers une ouverture éloignée dans les bois. Se mettant lui-même à la tête d'une petite troupe, il alla en reconnaissance dans la direction indiquée et parvint à un espace découvert où se trouvait un hameau indien. Les timides habitants, à l'apparition soudaine des étrangers, quittèrent leurs huttes avec effroi, et les Espagnols affamés, se précipitant, s'emparèrent avidement de tout ce qu'elles renfermaient.

Les indigènes, étonnés, ne firent aucune tentative de résistance. Mais, n'étant personnellement en butte à aucune violence, ils se rassurèrent, s'approchèrent des hommes blancs et leur demandèrent « pourquoi ils ne restaient pas chez eux et ne cultivaient pas leurs terres au lieu de rôder pour dépouiller les gens qui ne leur avaient fait aucun mal ». Quelle que pût être leur opinion quant à la question de droit, les Espagnols sentaient qu'il eût été plus sage d'agir ainsi, mais les sauvages portaient sur eux des ornements d'or d'un certain volume, bien que d'un travail grossier; et c'était l'appât de l'or qui engageait l'aventurier espagnol à quitter les douceurs du logis pour les épreuves du désert.

Enfin, après plus de six semaines, les Espagnols virent avec un plaisir indicible le retour de la barque qui avait amené leurs camarades et Montenegro entra dans le port avec d'amples provisions pour ses compatriotes affamés. Ranimés par une nourriture substantielle, les soldats, avec la légèreté propre aux hommes qui mènent une vie hasardeuse et vagabonde, oublièrent leurs maux passés dans leur ardeur à poursuivre leur entreprise. Remontant donc sur son vaisseau, Pizarre dit adieu au théâtre de tant de souffrances, qu'il nomma Puerto de la Hambre, port de la Famine, et s'engagea plus avant vers le sud.

Bientôt, il se trouva à la hauteur d'un pays découvert, ou plutôt beaucoup moins boisé. Le petit vaisseau continua sa route le long de la côte jusqu'à ce qu'étant arrivé à la hauteur d'une pointe de terre, appelée par Pizarre Punta Quemada, celui-ci ordonnât de jeter l'ancre. Le rivage était bordé d'un large cordon de manguiers, dont les longues racines s'enlaçant ensemble formaient une sorte de treillis sous-marin qui rendait l'approche difficile. Plusieurs avenues s'ouvrant à travers cette végétation enchevêtrée, Pizarre en conclut que le pays devait être habité, et il débarqua avec la plus grande partie de ses forces pour explorer l'intérieur. Il ne s'était pas avancé de plus d'une lieue qu'il découvrit une ville indienne plus importante que celles qu'il avait vues jusque-là. Les habitants avaient fui comme d'ordinaire, mais en laissant dans leurs demeures une quantité de provisions et quelques bagatelles en or que les Espagnols s'approprièrent sans difficulté.

La faible embarcation de Pizarre avait été endommagée par les coups de vent violents qu'elle venait d'essuyer, au point qu'il n'était pas prudent de continuer le voyage sans la réparer plus à fond. Il décida donc de la renvoyer avec un petit nombre d'hommes pour être radoubée à Panama et d'établir en attendant ses quartiers dans cette position facile à défendre. Il envoya d'abord une petite troupe, sous le commandement de Montenegro, pour reconnaître le pays et entrer s'il était possible en relations avec les indigènes. Ceux-ci étaient d'une race guerrière. Ils avaient quitté leurs habitations afin de mettre en sûreté leurs femmes et leurs enfants. Mais ils surveillaient les mouvements des envahisseurs et quand ils virent leurs forces divisées, ils résolurent de tomber sur chaque corps séparément, avant qu'ils pussent communiquer ensemble. Aussitôt donc que Montenegro eut pénétré dans les défilés des hauteurs de la Cordillère, les guerriers indiens, sortant de leur abri, lui envoyèrent une grêle de flèches.

Les Espagnols, surpris par l'apparition des sauvages, aux corps nus peints de couleurs voyantes, furent quelque peu désunis. Trois d'entre eux furent tués, et plusieurs furent blessés. Cependant, se ralliant promptement, ils répondirent à la décharge des assaillants avec leurs arbalètes puis, chargeant l'ennemi, l'épée à la main, ils réussirent à le repousser dans la montagne. Cela ne fit qu'engager les sauvages à se jeter sur Pizarre avant qu'il pût être secouru par son lieutenant. Les sauvages, sortant des bois, saluèrent la garnison espagnole d'une pluie de dards et de flèches. Rassemblant ses hommes autour de lui, Pizarre résolut de ne pas attendre patiemment l'attaque dans ses retranchements, mais de faire une sortie et de rencontrer l'ennemi sur son terrain. Les barbares reculèrent lorsqu'ils virent les Espagnols s'élancer, leur vaillant capitaine à leur tête. Montenegro, arrivant par bonheur et tombant sur leurs arrières, acheva de les mettre en désordre. Abandonnant le champ de bataille, ils se retirèrent du mieux qu'ils purent dans les montagnes.

On tint alors un conseil de guerre. La position avait perdu son charme aux yeux des Espagnols; ils venaient de rencontrer la première résistance de leur expédition. Il était nécessaire de mettre les blessés en sûreté pour les soigner. Néanmoins, il n'était pas prudent d'aller plus loin, à cause des avaries de leur vaisseau. Il fut donc décidé qu'on retournerait à Panama et qu'on rendrait compte des opérations au gouverneur.

Pizarre pensait qu'on avait fait assez pour justifier l'importance de l'entreprise et pour obtenir de Pedrarias les moyens de la continuer. Cependant, il ne pouvait se faire à l'idée de se présenter devant le gouverneur dans l'état actuel des choses. Il résolut donc de se faire débarquer avec la plus grande partie de sa troupe à Chicama, à peu de distance à l'ouest de Panama. De cet endroit, qu'il atteignit sans autre accident, il expédia le vaisseau et son trésorier, Nicolas de Ribera, avec l'or qu'il avait recueilli et des instructions pour présenter au gouverneur une relation détaillée de ses découvertes et le résultat de l'expédition.

Pendant ce temps, l'associé de Pizarre, Almagro, s'était occupé d'équiper un autre vaisseau dans le port de Panama. Il partit sur les traces de son compagnon avec l'intention de le joindre aussitôt que possible. Au moyen d'entailles pratiquées sur les arbres, suivant une convention qu'ils avaient faite, il put reconnaître les endroits visités par Pizarre. Dans un de ceux-ci, il fut reçu par les farouches indigènes avec les mêmes démonstrations hostiles que Pizarre. Le sang bouillant d'Almagro fut si exaspéré par cette résistance qu'il donna l'assaut à la place et y entra l'épée à la main, mettant le feu aux ouvrages extérieurs et aux maisons et forçant les malheureux habitants à fuir dans les forêts. Sa victoire lui coûta cher. Une javeline le blessa à la tête, produisant une inflammation de l'œil qu'il finit par perdre après de grandes souffrances. Malgré cela, l'intrépide aventurier n'hésita pas à poursuivre son voyage. Son esprit était inquiet quant au sort de Pizarre et de ses compagnons. Il n'en avait trouvé aucune trace sur la côte depuis longtemps; ils devaient être engloutis dans la mer ou retournés à Panama. Le retour immédiat fut donc décidé.

Se dirigeant d'abord vers Chicama, Almagro eut bientôt la satisfaction de revoir Pizarre et ils se racontèrent leurs exploits. Almagro revenait même plus chargé d'or que son associé et, à chaque étape de son expédition, il avait recueilli de nouvelles preuves de l'existence d'un grand et riche empire dans le Sud. La confiance des deux amis fut accrue par leurs découvertes et ils s'engagèrent sans hésiter l'un envers l'autre à mourir plutôt que d'abandonner l'entreprise. Il fut décidé que Pizarre demeurerait à Chicama et qu'Almagro se rendrait à Panama, exposerait la situation au gouverneur et s'assurerait, s'il était possible, son bon vouloir pour la poursuite de l'entreprise. Si de ce côté aucun obstacle n'entravait leurs desseins, ils pouvaient espérer, avec l'assistance de Luque, se procurer les moyens nécessaires, puisque les résultats de la nouvelle expédition étaient suffisamment encourageants pour attirer des aventuriers sous leurs bannières, dans une société où le danger était un aiguillon, et l'or plus estimé que la vie.

A son arrivée à Panama, Almagro constata que les événements avaient pris un tour moins favorable à ses vues qu'il n'avait espéré. Le gouverneur Pedrarias se refusa positivement à soutenir plus longtemps les projets téméraires des deux aventuriers, et la conquête du Pérou aurait été mort-née sans l'intervention efficace du troisième associé, Fernand de Luque. Cet ecclésiastique avait reçu du récit d'Almagro une impression fort différente de celle produite sur l'esprit irritable du gouverneur. Entrant donc entièrement dans les vues des hommes de guerre, ses associés, il usa de tout son crédit sur le gouverneur pour le porter à considérer d'un œil plus favorable la demande d'Almagro. Mais, tandis que Pedrarias donnait, à contrecœur, son assentiment à la demande, il prit soin de témoigner son déplaisir à Pizarre en désignant Almagro pour commander avec lui, avec une autorité égale, l'expédition projetée. Cette mortification pénétra profondément dans l'âme de Pizarre. Il soupçonna son camarade, on ne sait pour quelle raison, d'avoir sollicité cette faveur de Pedrarias. Il s'ensuivit entre eux un refroidissement qui disparut, du moins en apparence, Pizarre ayant réfléchi qu'il valait mieux que cette autorité fût conférée à un ami qu'à un étranger.

Pedrarias, l'année suivante, fut remplacé dans son gouvernement par don Pedro los Rio, chevalier de Cordoue. Ayant arrangé leurs difficultés avec le gouverneur, les associés ne perdirent pas de temps pour faire les préparatifs nécessaires. Leur première démarche fut d'exécuter le contrat mémorable qui servit de base à leurs arrangements futurs. Cet acte expose que les parties, ayant pleine autorité pour découvrir et soumettre les contrées et les provinces situées au sud du golfe qui appartiennent à l'empire du Pérou, et Fernand de Luque ayant avancé les fonds pour l'entreprise en lingots d'or de la valeur de vingt mille pesos, ils s'engagent à partager également entre eux tous les territoires conquis. Dans le cas où les deux capitaines manqueraient aux conventions, ils s'engagent à rembourser à Luque ses avances, pour lesquelles répondront tous les biens qu'ils possèdent. L'acte, qui fut daté du 10 mars 1526, fut signé par Luque et attesté par trois citoyens respectables de Panama dont l'un signa au nom de Pizarre, et l'autre pour Almagro, ni l'un ni l'autre, suivant les termes de l'acte, ne sachant signer.

Un fait remarquable, qui a échappé jusqu'ici à l'attention des historiens, c'est que Luque n'était pas réellement partie dans ce contrat. Il représentait une autre personne qui mettait entre ses mains les fonds nécessaires à l'entreprise. On ne peut guère douter que les vingt mille pesos du hardi spéculateur ne lui aient valu de magnifiques avantages; et le digne vicaire reçut aussi sa récompense.

On acheta deux vaisseaux, meilleurs à tous égards que ceux de la première expédition, on les approvisionna sur une plus grande échelle et on annonça hautement « une expédition au Pérou ». Mais les sceptiques habitants de Panama ne s'empressèrent pas de répondre à l'appel. Ce fut avec des ressources insuffisantes que les deux capitaines, chacun sur son vaisseau, quittèrent Panama, ayant pour guide Barthelemy Ruiz, pilote sage et courageux, très expérimenté dans la navigation de la mer du Sud.

La saison étant mieux choisie que la première fois, ils furent portés par une brise favorable et atteignirent leur destination en huit jours. Pizarre, débarquant à la tête d'un parti de soldats, réussit à surprendre un petit village et à enlever une quantité considérable d'ornements d'or trouvés dans les habitations des indigènes. Il fut décidé qu'Almagro s'en retournerait avec ses trésors et travaillerait à réunir des renforts, pendant que le pilote Ruiz, avec l'autre vaisseau, reconnaîtrait le pays vers le sud et obtiendrait des renseignements qui pourraient déterminer leurs mouvements futurs. Pizarre, avec le reste de la troupe, devait rester dans le voisinage de la rivière. Plusieurs Espagnols de Pizarre périrent misérablement et les autres étaient guettés par les indigènes qui surveillaient leurs mouvements d'un œil jaloux et profitaient de toute occasion pour les surprendre. Quatorze des hommes de Pizarre furent enlevés en une fois dans un canot qui s'était échoué sur une berge de rivière. A cela s'ajouta la famine, et ce fut avec peine qu'ils parvinrent à subsister au moyen des chétifs produits de la forêt, parfois de la pomme de terre sauvage ou de l'amande du cacaoyer sauvage ou, sur la côte, au moyen du fruit amer du palétuvier.

Ce fut dans cette crise que le pilote Ruiz, parti en mission, revint avec la nouvelle de ses découvertes et,

peu après, Almagro entra dans le port avec son vaisseau chargé de vivres frais et d'un renfort considérable de volontaires. Almagro, après s'être ravitaillé, fit voile de nouveau pour le rio de San Juan. L'arrivée des nouvelles recrues impatientes de poursuivre l'expédition, le changement opéré dans leur situation par d'amples provisions de vivres frais et les peintures brillantes des richesses qui les attendaient dans le Sud, tout eut son effet sur les esprits abattus des compagnons de Pizarre. Les capitaines se dirigèrent au sud jusqu'à ce qu'ils eussent atteint la baie de Saint-Mathieu.

En avançant le long de la côte, ils furent frappés, comme Ruiz l'avait été auparavant, par les indices d'une civilisation plus avancée, constamment visible dans l'aspect général du pays et de ses habitants. Les villages devenaient plus nombreux. Lorsque les vaisseaux flottèrent à l'ancre à la hauteur du port de Tacamez, les Espagnols virent devant eux une ville de deux mille maisons ou davantage, disposées en rues, avec une nombreuse population groupée dans les faubourgs. Les hommes et les femmes étalaient sur leurs personnes beaucoup d'ornements d'or et de pierres précieuses, ce qui peut sembler étrange car les Incas péruviens s'attribuaient le monopole des joyaux pour eux-mêmes et pour les nobles auxquels ils daignaient les accorder. Mais, bien que les Espagnols eussent alors atteint les limites extrêmes de l'empire péruvien, ce n'était pas encore le Pérou, mais Quito, et cette partie du pays de Quito, qui n'était tombée que tout récemment sous le sceptre des Incas, et dont les anciens usages populaires ne pouvaient guère encore avoir été effacés par le système oppressif des despotes.

Les Espagnols contemplaient avec joie ces preuves incontestables de richesse et voyaient dans la culture du sol l'agréable assurance d'avoir enfin atteint le pays qui, pendant si longtemps, s'était montré à leurs yeux dans une perspective brillante, mais lointaine. Là encore, ils devaient être déçus par l'esprit belliqueux du peuple qui, sentant sa force, ne se montrait nullement intimidé devant les envahisseurs.

Un corps plus important se rassembla le long de la côte : dix mille guerriers au moins, suivant les relations espagnoles, impatients, en apparence, d'en venir aux mains avec les envahisseurs. Pizarre, qui avait débarqué avec quelques-uns de ses hommes dans l'espoir de parlementer avec les indigènes, ne put tout à fait prévenir les hostilités. La chose aurait pu mal tourner pour les Espagnols, vivement pressés par leur courageux ennemi si supérieur en nombre, sans un accident risible, arrivé, disent les historiens, à l'un des cavaliers. Ce fut une chute de cheval; cela étonna tellement les barbares, qui ne s'attendaient pas à voir ce qu'ils prenaient pour un seul et même être se séparer en deux, qu'ils s'enfuirent, remplis de consternation, et laissèrent les chrétiens regagner paisiblement leurs vaisseaux!

Un conseil de guerre fut tenu. Il était évident que les forces des Espagnols étaient insuffisantes pour lutter avec un corps d'indigènes si nombreux et si bien organisé. Même en cas de victoire, ils ne pouvaient espérer refouler le torrent qui se soulèverait contre eux à mesure qu'ils avanceraient, car le pays devenait de plus en plus peuplé, et des villes et des hameaux se présentaient à leurs yeux à chaque nouveau promontoire qu'ils doublaient. Il valait mieux, suivant certains, abandonner sur-le-champ une entreprise au-dessus de leurs forces. Almagro considéra autrement l'affaire. « Retourner, disait-il, sans avoir rien fait, serait une ruine aussi bien qu'une honte. Rares étaient parmi eux ceux qui n'avaient pas laissé à Panama des créanciers comptant, pour être payés, sur les résultats de l'entreprise. Retourner maintenant serait se livrer entre leurs mains, et aller en prison. Mieux valait errer librement, même dans les déserts, que de languir, chargé de fer, dans les cachots de Panama. Pizarre pourrait trouver quelque endroit plus commode où il resterait avec une partie de leurs forces, pendant que lui-même retournerait chercher des renforts à Panama. La description qu'ils pouvaient faire maintenant des richesses du pays, après les avoir vues de leurs propres yeux, présenterait leur expédition sous un jour très différent et ne pourrait manquer d'attirer sous leur bannière autant de volontaires qu'il leur en faudrait. »

— Cela est très bien, dit l'autre commandant à Almagro, pour vous qui passez votre temps assez agréablement, courant çà et là dans votre vaisseau ou commodément abrité dans une terre d'abondance à Panama; il en est autrement pour ceux qui restent dans le désert à languir et à mourir de faim.

Almagro répondit avec chaleur qu'il était disposé à prendre la conduite des braves qui voudraient rester avec lui, si Pizarre refusait de s'en charger.

La querelle prenant un ton plus aigre et plus menaçant, ils en seraient bientôt venus des paroles aux coups, car tous deux, mettant la main à l'épée, se préparaient à se jeter l'un sur l'autre, lorsque le trésorier Ribera, aidé du pilote Ruiz, réussit à les calmer. Il fallut peu d'efforts, à ces conseillers de sang-froid, pour convaincre les deux chefs de la folie d'une conduite qui devait terminer immédiatement l'expédition et d'une manière peu avantageuse pour ceux qui l'avaient entreprise. Une réconciliation eut donc lieu, suffisante, du moins en apparence, pour permettre aux deux chefs d'agir de concert. Le plan d'Almagro fut alors adopté; il ne resta qu'à trouver le lieu le plus sûr et le plus convenable pour y établir les quartiers de Pizarre. Mais la résolution des deux capitaines ne fut pas plus tôt connue, que le mécontentement éclata parmi leurs compagnons, surtout ceux qui devaient rester dans l'île de Gallo avec Pizarre.

Peu après le départ d'Almagro, Pizarre renvoya le vaisseau qui restait, sous prétexte de le faire réparer, à Panama. Cela le délivrait probablement d'une partie de ses compagnons qui, par leur esprit de mutinerie, lui étaient plutôt un obstacle qu'un secours dans sa situation désespérée. Le retour d'Almagro et de ses compagnons causa une certaine frayeur dans la petite

colonie de Panama. L'air hagard et abattu des aventuriers était de lui-même assez décourageant. Le gouverneur, Pedro de los Rios, fut si exaspéré du résultat
de l'expédition et des pertes d'hommes qu'elle avait
causées à la colonie qu'il fut sourd à toutes les sollicitations de Luque et d'Almagro en vue du maintien de
son appui. Il railla leurs espérances persévérantes et
résolut enfin d'envoyer un officier à l'île de Gallo, avec
ordre de ramener tout Espagnol qu'il trouverait encore
vivant dans ce triste séjour. Deux vaisseaux appareil-
lèrent immédiatement dans ce but, placés sous le commandement d'un Cordouan nommé Tafur.

* * *

Pendant ce temps, Pizarre et ses compagnons souffraient toutes les misères que l'on pouvait attendre de la
stérilité du sol sur lequel ils étaient emprisonnés. Aussi,
l'arrivée de Tafur et de ses deux vaisseaux bien approvisionnés fut saluée avec la satisfaction ineffable que
pourrait éprouver l'équipage d'un navire qui va couler
à l'arrivée d'un secours inattendu. Après avoir satisfait
aux besoins immédiats de la faim, leur seule pensée fut
de s'embarquer et de quitter pour toujours l'île détestée.
Mais le même vaisseau apportait à Pizarre des lettres
de ses deux associés, Luque et Almagro, qui le con-
juraient de ne pas désespérer, et de persister dans son
dessein primitif. Revenir dans les circonstances actuelles
serait sceller la ruine de l'expédition, et ils s'engageaient
solennellement, s'il restait ferme à son poste, à lui fournir
dans peu de temps tous les moyens nécessaires pour
continuer.

Un rayon d'espoir suffisait à l'âme courageuse de
Pizarre. Il ne paraît pas que lui-même eût jamais conçu
des idées de retour. En eût-il été autrement que ces
paroles d'encouragement les bannirent entièrement de
son cœur, et il se prépara à courir sa chance aventureu-
sement et jusqu'au bout. Tirant son épée, il traça une

ligne sur le sable, de l'est à l'ouest. Se tournant ensuite
vers le sud : « Amis et camarades, dit-il, de ce côté sont
les fatigues, la faim, la nudité, les pluies torrentielles,
l'abandon et la mort; de l'autre, le bien-être et le plaisir.
Là est le Pérou avec ses richesses; ici, Panama et sa
pauvreté. Choisissez, chacun, ce qui convient le mieux
à un brave Castillan. Pour moi, je vais au sud. » En
disant ces mots, il enjamba la ligne. Il fut suivi par le
brave pilote Ruiz; puis par Pedro de Candia, chevalier
né, comme l'indique son nom, dans l'île de Candie.
Onze autres traversèrent successivement la ligne, montrant ainsi leur volonté de partager la bonne ou la
mauvaise fortune de leur chef.

Mais cette action n'excita pas la même admiration
dans l'esprit de Tafur, qui la regarda comme une désobéissance grossière aux ordres du gouverneur et comme
une folie qui devait entraîner la perte de ceux qui s'y
engageaient. Il refusa d'y acquiescer en laissant aux
aventuriers un de ses vaisseaux pour continuer leur
voyage, et ce fut même à grand-peine qu'on put le
persuader de leur accorder une partie des provisions
qu'il avait apportées pour eux. Cela n'eut aucune
influence sur la détermination de la petite troupe qui,
disant adieu à ses compagnons, resta inébranlable dans
sa résolution de partager le sort de son chef. Une poignée
d'hommes, sans nourriture, sans habits, presque sans
armes, sans vaisseau pour la transporter, restait ainsi
sur un roc inconnu et désertique de l'Océan, dans le but
avoué d'organiser, au péril de sa vie, une expédition
contre un puissant empire. Le pilote Ruiz eut la permission de retourner sur le vaisseau qui ramenait Tafur
et ceux qui se séparaient de l'expédition, afin de seconder
Luque et Almagro dans leurs démarches en vue d'obtenir
une nouvelle assistance.

Peu après le départ des navires, Pizarre se décida
à quitter son séjour qui présentait peu d'avantages et
qui, de plus, était exposé aux attaques des indigènes si
ceux-ci reprenaient courage en apprenant la diminution

d'effectifs des Blancs. Les Espagnols construisirent donc, sur ses instructions, un bateau grossier, sorte de radeau sur lequel ils réussirent à se transporter dans la petite île de Gorgone.

Cependant, le vaisseau de Tafur avait regagné Panama. Les nouvelles qu'il apportait de l'inflexibilité de Pizarre et de ses compagnons remplirent le gouverneur d'indignation. Il ne pouvait la considérer que comme un acte de suicide, et il refusa d'envoyer d'autres secours à des hommes qui travaillaient à leur propre ruine. Néanmoins, Luque et Almagro furent fidèles à leurs engagements. Ils firent valoir au gouverneur que si la conduite de leur camarade était téméraire, c'était du moins pour le service de la couronne et au bénéfice d'une grande mission de découverte. Ces remontrances finirent par influencer tellement le gouverneur qu'il consentit, à regret, à ce qu'on envoyât un vaisseau à l'île de Gorgone, mais seulement avec les hommes nécessaires pour le manœuvrer, et avec l'ordre donné à Pizarre de revenir dans les six mois et de rendre compte lui-même à Panama, quels que pussent être alors les résultats de son expédition.

Les deux associés ne perdirent pas de temps pour équiper un vaisseau de faible tonnage, le fournir de vivres, d'armes et de munitions, et le dépêcher dans l'île. Prenant avec lui le reste de ses vaillants compagnons et des indigènes, Pizarre se hâta de lever l'ancre. Ils furent rapidement en vue de la pointe Pasado, limite du premier voyage du pilote. Traversant la ligne, le petit bâtiment entra dans ces mers qui, jusqu'alors, n'avaient été sillonnées par aucun vaisseau européen.

Vingt jours après son départ de l'île, le vaisseau aventureux tourna la pointe de Sainte-Hélène et glissa doucement sur les eaux du beau golfe de Guyaquil. Ils jetèrent l'ancre à l'île de Santa-Clara, située à l'entrée de la baie de Tumbez. Ce lieu était inhabité, mais il fut reconnu par les Indiens qui étaient à bord, comme étant fréquenté de temps à autre par le peuple guerrier de l'île voisine de Puna. Le lendemain matin, ils traversèrent la baie pour arriver à Tumbez. En approchant, ils virent une grande ville, aux nombreux édifices, apparemment de pierre et de plâtre, au milieu d'une prairie fertile qui paraissait préservée de la stérilité du pays environnant par une irrigation pratiquée avec beaucoup de soin. Le peuple de Tumbez était assemblé le long du rivage et regardait avec un étonnement inexprimable le château flottant qui, ayant jeté l'ancre, se balançait mollement sur ses amarres. Ils écoutèrent avidement les récits de leurs compatriotes et en référèrent immédiatement au curaca ou chef du district qui, pensant que les étrangers étaient des êtres d'une race supérieure, se prépara sur-le-champ à satisfaire leur requête.

Peu après, on vit plusieurs balsas se diriger vers le vaisseau, chargées de bananes, de yuca, de blé indien, de pommes de terre douces, d'ananas, de noix de coco et d'autres riches productions de la fertile vallée de Tumbez. On y avait aussi ajouté du gibier et du poisson, avec plusieurs lamas. Un Inca noble ou orejon se trouvait à ce moment à Tumbez — les Espagnols donnaient ce nom aux hommes de son rang, à cause des énormes ornements d'or qu'ils portaient attachés à leurs oreilles. Le chef péruvien désirait surtout savoir de quelle contrée ils arrivaient et pourquoi Pizarre et ses compagnons étaient venus sur ces rivages. Le capitaine espagnol répondit qu'il était vassal d'un grand prince, le plus grand et le plus puissant du monde, et qu'il était venu dans ce pays pour y établir la légitime suprématie de son maître. Il ajouta qu'il était venu, en outre, pour tirer les habitants des ténèbres de l'incrédulité où ils étaient encore plongés. Les Indiens adoraient un mauvais esprit qui précipiterait leurs âmes dans la perdition éternelle; Pizarre leur ferait connaître le seul véritable Dieu, Jésus-Christ, puisque croire en lui assurait le salut éternel. Le prince indien écouta avec une profonde attention et une surprise évidente, mais il ne répondit rien. Il resta à bord jusqu'à l'heure du dîner, qu'il partagea avec les Espagnols, témoignant qu'il était satisfait des mets étrangers, et surtout enchanté du vin qu'il trouva très supérieur aux liqueurs fermentées de son pays.

Pizarre dépêcha, le lendemain, un émissaire à Tumbez, Pedro de Candia, le chevalier grec, qui fut envoyé à terre, revêtu de la cotte de mailles, comme il convenait à un brave chevalier, l'épée au côté et l'arquebuse à l'épaule. Les Indiens furent éblouis par son aspect; le soleil faisait briller son armure polie et étinceler ses armes. Les indigènes lui témoignèrent les mêmes attentions hospitalières qu'ils avaient montrées la veille. A son retour, il fit la description des merveilles de la ville.

La forteresse, entourée d'un triple rang de murailles, avait une forte garnison. Il décrivit le temple comme couvert de plaques d'or et d'argent. Près de cet édifice se trouvait une sorte de couvent destiné aux fiancées de l'Inca, qui exprimèrent le désir de le voir. Il ne dit pas clairement si ce désir fut satisfait, mais il dépeignit les jardins du couvent où il était entré, comme éblouissants d'imitations de fruits et de végétaux en or et en argent pur! Il avait vu à l'œuvre un certain nombre d'ouvriers, dont la seule occupation semblait être de fabriquer ces ornements magnifiques pour les temples.

Les Espagnols furent quasiment fous de joie, dit un ancien auteur, en recevant ces brillantes nouvelles de la cité péruvienne. Tous leurs rêves allaient être réalisés. Ayant rassemblé toutes les informations nécessaires à ses projets, Pizarre, après avoir pris congé des indigènes de Tumbez et leur avoir promis un prompt retour, leva l'ancre et fit voile de nouveau vers le sud. Il se rapprocha du continent, touchant aux points principaux de la côte. Partout, il fut reçu avec le même esprit d'hospitalité généreuse. Les indigènes venaient à sa rencontre dans leurs balsas, chargés de leurs petites cargaisons de fruits et de légumes de toutes les variétés succulentes qui croissent dans la *tierra caliente*.

Partout, Pizarre recueillait les mêmes renseignements sur le puissant monarque qui gouvernait le pays et tenait sa cour dans les hautes plaines de l'intérieur, où l'on représentait sa capitale comme étincelante d'or et d'argent et étalant toute la magnificence des satrapes de l'Orient.

S'avançant toujours vers le sud, Pizarre passa devant le futur emplacement de la florissante cité de Truxillo, qu'il devait fonder quelques années plus tard, et continua sa route jusqu'au port de Santa où il mouilla. Ce port était situé sur les bords d'un beau et large fleuve; mais le pays alentour était tellement aride, que les Péruviens, trouvant le sol très favorable à la conservation de leurs momies, le choisissaient souvent pour enterrer les morts. Et en effet, les *guacas* indiens étaient si nombreux que cet endroit pouvait s'appeler le séjour des morts plutôt que celui des vivants.

Arrivés en cet endroit, au neuvième degré de latitude sud, les compagnons de Pizarre le supplièrent de ne pas poursuivre le voyage. Ils avaient assez fait et plus qu'assez, disaient-ils, pour prouver l'existence et la position véritable du grand empire indien qu'ils avaient si longtemps cherché. Cependant, leurs effectifs réduits ne leur permettaient pas de profiter de leur découverte. Tout ce qu'il y avait à faire était de retourner et d'annoncer le succès de leur entreprise au gouverneur de Panama. Pizarre se rendit à la sagesse de cette requête. Il avait alors pénétré de neuf degrés plus loin qu'aucun navigateur dans ces mers méridionales. Après avoir vaincu la défaveur qui semblait jusqu'alors s'attacher à ses entreprises, il pouvait maintenant revenir triomphant vers ses concitoyens. Il se prépara donc sans hésiter à reprendre sa course et fit voile de nouveau vers le nord.

Le commandant espagnol ne manqua pas, au retour, de toucher à Tumbez. Quelques-uns de ses compagnons, séduits par l'aspect confortable de la ville et par les mœurs douces des habitants, témoignèrent le désir d'y rester, croyant sans doute qu'il vaudrait mieux habiter un lieu où ils seraient d'importants personnages que d'aller retrouver une condition obscure dans la colonie de Panama. Pizarre céda à leur demande, pensant qu'il ne serait pas inutile de trouver à son retour quelques-uns de ses compagnons, instruits de la langue et des mœurs indigènes. On lui permit aussi d'emmener sur son vaisseau deux ou trois Péruviens, dans l'intention de leur faire apprendre réciproquement le castillan. L'un d'eux, jeune homme que les Espagnols nommèrent Felipillo, joua un certain rôle dans la suite des événements.

En quittant Tumbez, les aventuriers firent route directement vers Panama. Comme on pouvait s'y attendre, leur arrivée causa une grande sensation. Il y avait peu de personnes, même parmi leurs amis les plus confiants, qui ne pensassent qu'ils avaient depuis longtemps payé de leur vie leur témérité. Ce fut un moment de satisfaction orgueilleuse pour les trois associés. En dépit du blâme, de la dérision et de tous les obstacles que la méfiance de leurs amis ou la froideur du gouverneur pouvaient mettre sur leur chemin, ils avaient persévéré dans leur grande entreprise jusqu'à ce qu'ils eussent établi la réalité de ce qu'on avait si généralement traité de chimère.

Cependant, le gouverneur Pedro de los Rios ne parut pas, même alors, convaincu de l'importance de la découverte ou, peut-être, fut-il découragé par cette grandeur même. Lorsque les associés, devenus plus confiants, lui demandèrent sa protection dans une entreprise trop vaste pour leurs propres ressources, il répondit froidement : « Qu'il n'avait pas envie d'élever d'autres gouvernements aux dépens du sien et qu'il ne se laisserait pas engager à sacrifier de nouvelles vies par le vain étalage de bagatelles d'or et d'argent et de quelques moutons indiens ». Or, s'arrêter maintenant, qu'était-ce, sinon abandonner la mine opulente que leur habileté et leur persévérance avaient ouverte pour que d'autres l'exploitassent à loisir ?

L'esprit fertile de Luque lui suggéra le seul expédient

qui leur permît d'espérer le succès : s'adresser directement à la Couronne. Elle seule pouvait fournir les moyens
nécessaires et envisager la question d'un point de vue
plus large et plus libéral que le petit gouverneur d'une
colonie. Mais qui était capable de remplir cette mission
délicate? Luque était enchaîné à Panama par les devoirs
de son sacerdoce; et ses associés, soldats illettrés, étaient
beaucoup plus propres aux choses de la guerre qu'à
celles de la cour. Almagro, brusque quoiqu'un peu
ampoulé et fastueux dans ses discours, d'une petite
taille et d'une physionomie commune, maintenant
défiguré par la perte d'un œil, convenait moins à cette
mission que son compagnon d'armes qui, d'une physionomie agréable et doté d'un extérieur imposant, parlait
avec adresse et, en dépit des lacunes de son éducation,
pouvait même être éloquent sur un sujet qui l'intéressait
suffisamment. L'ecclésiastique proposa de confier la
négociation au licencié Corral, fonctionnaire respectable
qui était alors sur le point de retourner dans la métropole
pour une affaire d'intérêt général. Almagro fit à cela de
fortes objections. Personne, dit-il, ne conduirait aussi
bien l'affaire que l'un des intéressés. Il avait une haute
opinion de la prudence de Pizarre. Celui-ci comprit la
force des raisonnements d'Almagro et il accepta, bien
qu'avec répugnance, cette proposition qui lui convenait
moins qu'une expédition dans des contrées sauvages.
On eut quelque difficulté à se procurer les fonds nécessaires pour mettre le délégué en état de paraître conve-
nablement à la cour, tant le crédit des associés était
tombé, et tant on avait peu confiance dans le résultat
de leurs magnifiques découvertes. On réunit enfin quinze
cents ducats. Au printemps de 1528, Pizarre, accompagné de Pedro de Candia, quitta Panama. Il prit aussi
avec lui quelques-uns des indigènes, ainsi que deux ou
trois lamas, plusieurs étoffes d'un travail délicat, des
ornements et des vases d'or et d'argent, comme spécimens de la civilisation du pays et comme garants de ses
merveilleux récits.

Pizarre trouva l'Empereur à Tolède, qui s'apprêtait à s'embarquer pour l'Italie. L'Espagne n'était pas le séjour favori de Charles-Quint, dans la première partie de son règne. Il jouissait alors pleinement de l'éclat de ses triomphes sur son vaillant rival de France, qu'il avait vaincu et fait prisonnier à la grande bataille de Pavie. Charles faisait peu de cas de son royaume héréditaire. Mais lorsque, lui rappelant la récente acquisition du Mexique, on lui exposa les brillantes espérances que faisait naître l'Amérique du Sud, il en comprit l'importance : ces contrées pouvaient vraisemblablement lui fournir les moyens de poursuivre les entreprises si dispendieuses de son ambition. En conséquence, Pizarre, qui venait le convaincre, par des preuves visibles, de la réalité des mines d'or dont quelques échos étaient parvenus en Castille, fut reçu gracieusement par l'Empereur. Charles examina avec beaucoup d'attention les différents objets qu'il lui présentait. Pizarre, loin d'être embarrassé par la nouveauté de sa situation, conserva son sang-froid et montra dans ses discours la dignité d'un Castillan. Il parla d'un ton simple et respectueux, mais avec l'ardeur et l'éloquence naturelle d'un homme qui avait été acteur dans les scènes qu'il décrivait et qui comprenait que l'impression qu'il produirait sur ses auditeurs déciderait de son avenir. Charles recommanda les intérêts de son sujet dans les termes les plus favorables au conseil des Indes.

Malgré la recommandation de l'Empereur, l'affaire de Pizarre n'avançait qu'avec la lenteur habituelle à la cour de Castille. Il voyait ses ressources limitées s'épuiser par les dépenses que nécessitait sa situation et il fit valoir qu'à moins que l'on ne prît promptement quelques mesures favorables à l'égard de sa requête, il courrait le risque de ne plus pouvoir en profiter.

La Reine, qui était chargée du gouvernement depuis le départ de son mari, expédia alors l'affaire et, le 26 juillet 1529, elle signa la célèbre convention qui détermina les pouvoirs et les privilèges de Pizarre. L'acte assurait à

Pizarre le droit de découverte et de conquête dans la province du Pérou ou de la Nouvelle-Castille, jusqu'à deux cents lieues au sud de Santiago. Il devait recevoir à vie les titres et le rang de gouverneur et de capitaine-général de la province, avec ceux d'Adelantado et d'Alguazil Mayor; il bénéficierait en outre d'un traitement de sept cent vingt-cinq mille maravédis, avec l'obligation d'entretenir certains officiers, et une suite militaire en rapport avec la dignité de sa charge. Il aurait le droit de bâtir certaines forteresses dont on lui donnait le gouvernement absolu; d'assigner les encomiendas d'Indiens, sous les restrictions fixées par la loi et enfin d'exercer la plupart des prérogatives d'un vice-roi. Son associé, Almagro, fut déclaré commandant de la forteresse de Tumbez, avec une rente annuelle de trois cent mille maravédis, et le rang et les privilèges d'hidalgo. Le révérend père Luque fut récompensé de ses services par l'évêché de Tumbez, et il fut aussi nommé protecteur des Indiens du Pérou. Il devait jouir d'un revenu annuel de mille ducats qui, de même que les autres traitements et gratifications mentionnés dans l'acte, était assigné sur les revenus du territoire conquis. Les collaborateurs subordonnés de l'expédition ne furent pas oubliés. Ruiz reçut le titre de grand pilote de la mer du Sud, avec un traitement généreux; Candia fut mis à la tête de l'artillerie, et les onze autres compagnons de l'île déserte furent créés hidalgos et caballeros, et élevés aux dignités municipales à venir.

Plusieurs dispositions libérales étaient aussi adoptées pour encourager l'émigration dans le pays. Les nouveaux colons devaient être exemptés de quelques-unes des taxes ordinaires les plus onéreuses, telles que l'alcabala, ou n'y être soumis qu'avec des adoucissements. La taxe des métaux précieux tirés des mines devait être d'abord réduite à un dixième au lieu du cinquième imposé aux mêmes métaux lorsqu'on les obtenait par l'échange ou par la violence. Il fut enjoint expressément à Pizarre d'observer les règlements existants pour le bon gouver-

nement et la protection des indigènes. Il fut obligé
d'emmener avec lui un nombre déterminé d'ecclésiastiques qu'il devait consulter dans la conquête du pays.
Leurs efforts devaient être consacrés à la conversion des
Indiens tandis que les légistes et les procureurs, dont la
présence était considérée comme de mauvais présage
pour l'harmonie des nouveaux établissements, recevaient
défense expresse d'y mettre les pieds.

Pizarre, de son côté, s'engageait, dans les six mois
à dater du jour de l'acte, à lever une force, bien équipée
pour le service, de deux cent cinquante hommes dont
cent pouvaient être tirés des colonies. Le gouvernement
s'engageait à fournir quelques faibles secours pour
l'achat de l'artillerie et des munitions. Enfin, Pizarre
devait être prêt, six mois après son retour à Panama,
à quitter le port et à s'embarquer pour son expédition.

Une circonstance qui ne pouvait manquer d'attirer
l'attention sur cet acte, c'était la manière dont tous les
emplois élevés et lucratifs étaient attribués à Pizarre,
à l'exclusion d'Almagro qui, s'il n'avait pas pris une
part aussi éclatante aux fatigues et aux dangers, avait
au moins partagé avec lui, à l'origine, les charges de
l'entreprise et, par ses efforts dans une direction différente, avait contribué avec tout autant d'efficacité à son
succès. Almagro avait volontiers cédé la première place
à son associé mais, lorsque Pizarre était parti pour
l'Espagne, on avait stipulé qu'en même temps qu'il
demanderait pour lui la charge de gouverneur et de
capitaine général, il assurerait celle d'Adelantado à son
compagnon. Il s'était engagé de même à demander le
siège de Tumbez pour le vicaire de Panama, et la charge
d'Alguazil Mayor pour le pilote Ruiz. L'évêché fut donné
suivant les conventions, car le soldat ne pouvait guère
réclamer la mitre du prélat; mais les autres fonctions,
au lieu d'être distribuées comme on en était convenu,
lui furent toutes attribuées.

Pizarre avait cependant promis, à son départ, d'agir
loyalement et honorablement envers tous ses amis. Ces

arrangements étant terminés à la satisfaction de Pizarre, il quitta Tolède pour aller à Truxillo, sa ville natale, en Estramadure, où il pensait trouver des participants pour sa nouvelle entreprise et où, sans doute, il était flatté de se faire voir dans l'éclat de ses succès ou du moins de ses espérances. Il trouva des amis, des partisans et des gens qui s'empressèrent d'invoquer la parenté pour prendre part à sa prochaine fortune. Parmi ceux-ci étaient ses quatre frères. Trois d'entre eux étaient bâtards comme lui; l'un, nommé Francisco Martin de Alcantara, était son frère utérin; les deux autres, Gonzalo et Juan Pizarre, étaient du côté de son père; le fils aîné se nommait Fernand.

Malgré l'intérêt général que les aventures de Pizarre excitèrent dans son pays, il ne trouva pas facile d'exécuter les articles de la convention relatifs au nombre des recrues. Les six mois accordés étaient écoulés; Pizarre avait rassemblé un nombre d'hommes un peu moindre que celui qui avait été stipulé et se préparait à s'embarquer sur une petite escadre de trois vaisseaux à Séville. Avant qu'ils fussent entièrement prêts, il reçut l'avis que les officiers du conseil des Indes avaient le dessein de s'assurer de l'état des vaisseaux et de vérifier jusqu'à quel point les conditions avaient été observées. Pizarre, craignant donc, si les faits étaient connus, que son entreprise ne fût étouffée dans son germe, leva l'ancre sans perdre de temps et, traversant la barre de San Lucar en janvier 1530, il fit route pour l'île de Gomera, l'une des Canaries — où il ordonna à son frère Fernand, qui avait le commandement des autres vaisseaux, de venir le joindre.

Après un heureux voyage, les aventuriers atteignirent la côte nord du grand continent méridional et jetèrent l'ancre au port de Santa Marta. Là, on leur fit un tableau si décourageant des pays vers lesquels ils allaient s'engager, aux forêts pleines d'insectes et de serpents venimeux, aux énormes alligators fourmillant au bord des rivières, aux périls innombrables, que plusieurs des hommes de Pizarre désertèrent. Leur chef, pensant qu'il n'était pas sûr de séjourner plus longtemps dans un lieu si dangereux, fit voile immédiatement pour Nombre de Dios. Peu après son arrivée, il fut rejoint par ses deux associés, Luque et Almagro, qui avaient traversé les montagnes pour entendre de sa propre bouche le contenu exact de la convention avec la couronne.

Comme on pouvait s'y attendre, le mécontentement d'Almagro fut extrême en apprenant le résultat de ce qu'il regardait comme une perfidie de son associé. Pizarre répondit en assurant son compagnon qu'il avait fait valoir fidèlement sa demande mais que le gouvernement refusait de mettre en des mains différentes des pouvoirs qui se touchaient et se confondaient si intimement. Il n'avait eu d'autre alternative que de tout accepter, ou de tout refuser, et il essaya d'adoucir le mécontentement d'Almagro en lui représentant que le pays était assez grand pour leur ambition à tous deux, et que les pouvoirs qui lui étaient conférés l'étaient aussi à Almagro puisque tout ce qu'il possédait appartiendrait toujours à son ami comme à lui-même. Ces paroles douce-reuses ne satisfirent pas la partie lésée.

Les deux capitaines regagnèrent Panama avec des sentiments de froideur sinon d'hostilité mutuelle, qui n'étaient pas de bon augure pour l'entreprise. Cepen-dant, Almagro était d'un caractère généreux, et il aurait pu s'apaiser par les concessions politiques de son rival, sans l'intervention de l'aîné des frères Pizarre, Fernand, qui, dès le premier moment, montra peu d'égards pour le vétéran (à vrai dire, l'apparence d'Almagro n'était pas propre à en inspirer) et qui, maintenant, le regardait avec une aversion particulière comme un obstacle à la carrière de son frère. Les amis d'Almagro — et ses manières franches et libérales lui en avaient assuré beaucoup — ne furent pas moins choqués que lui-même de la conduite arrogante de ce nouvel allié. Ils disaient hautement que c'était bien assez de souffrir la perfidie de Pizarre sans être exposés aux insultes de sa famille qui était venue avec lui pour s'engraisser des dépouilles d'une conquête qui appartenaient à leur chef.

La dispute alla bientôt si loin qu'Almagro déclara son intention de poursuivre l'expédition sans coopérer plus longtemps avec son associé, et entama aussitôt des négociations pour acheter des vaisseaux dans ce but. Mais Luque et le licencié Espinosa s'interposèrent pour empêcher une rupture qui menaçait de ruiner l'entreprise et ceux qui étaient le plus intéressés à son succès. Par leur médiation, un semblant de réconciliation eut lieu enfin entre les parties, sur l'assurance donnée par Pizarre qu'il abandonnerait la dignité d'Adelantado en faveur de son rival, et qu'il demanderait à l'Empereur d'en confirmer la possession à ce dernier. Il s'engageait, en outre, à demander un gouvernement distinct pour son associé, aussitôt qu'il serait maître du pays qui lui était assigné; et il ne devait solliciter aucune charge pour l'un ou l'autre de ses frères, jusqu'à ce qu'Almagro eût été d'abord pourvu. Enfin, le premier contrat relatif au partage du butin en trois parts égales entre les trois premiers associés fut confirmé de la manière la plus explicite.

Cette réconciliation entre les deux rivaux suffisait au dessein du moment, qui était de les mettre en état d'agir de concert dans l'expédition. Mais c'était une guérison imparfaite de la blessure intérieure profonde qui n'attendait qu'une nouvelle cause d'irritation pour se rouvrir.

L'intention de Pizarre était d'aller directement à Tumbez qui lui avait paru si riche lors de son premier voyage. Les vents contraires et les courants déjouèrent ses projets. Sa petite escadre mouilla dans la baie de Saint-Mathieu, à un degré nord environ, et Pizarre, après s'être consulté avec ses officiers, résolut de débarquer ses forces et d'avancer le long du rivage, pendant que les vaisseaux continueraient de voguer à une faible distance de la côte. La marche des troupes fut extrêmement pénible et laborieuse. La route était constamment coupée de rivières qui, grossies par les pluies d'hiver, s'élargissaient, à leurs embouchures, en spacieux estuaires. Ils atteignirent un hameau dont les habitants s'enfuirent terrifiés.

« Nous tombâmes sur eux l'épée à la main, dit un des conquérants avec quelque naïveté, car si nous avions averti les Indiens de notre approche, nous n'aurions jamais trouvé une si grande quantité d'or et de pierres précieuses. » Les ornements d'or et d'argent enlevés des habitations furent réunis et disposés en une masse commune, de laquelle on déduisit un cinquième pour la couronne. Pizarre répartit le reste entre les officiers et les simples soldats de sa troupe. Tel fut l'usage invariablement suivi en pareilles occasions durant tout le temps de la conquête.

Après un juste repos, Pizarre continua sa marche le long de la côte, mais sans se faire suivre désormais par les vaisseaux qui étaient retournés chercher des recrues à Panama. La lumière était intense, et les rayons d'un soleil vertical tombaient brûlants sur les cottes de mailles en fer et sur les épais pourpoints de coton piqué, au point que les troupes défaillantes étaient presque suffoquées de chaleur.

Pour ajouter à leur détresse, une épidémie étrange éclata dans la petite armée. Elle prit la forme d'ulcères ou plutôt de gros boutons hideux qui couvraient le corps. Quand on les perçait, ce que l'on fit parfois, ils rendaient une quantité de sang dont la perte pour l'organisme devenait fatale. Plusieurs moururent de cette effrayante maladie, dont l'invasion était si soudaine et accompagnée d'une telle prostration, que ceux qui se couchaient le soir en bonne santé étaient incapables, le lendemain matin, de porter leur main à leur tête.

Cependant, les habitants ne résistèrent que rarement aux Espagnols et n'inquiétèrent guère leur marche. Ils s'enfuirent avec ce qu'ils possédaient dans les bois et dans les montagnes voisines.

L'armée se réjouit bientôt à la vue d'un vaisseau

venant de Panama, qui, avec quelques renforts, amenait le trésorier royal, le veedor ou inspecteur, le contrôleur et les autres grands officiers désignés par la couronne pour suivre l'expédition. Pizarre les avait laissés en Espagne lors de son départ brusque; le conseil des Indes avait alors adressé des instructions à Panama pour empêcher ses vaisseaux de quitter le port. Mais le gouvernement espagnol, plus sage, donna contre-ordre, enjoignant seulement à ces fonctionnaires de hâter leur départ et de prendre leur place dans l'expédition sans perdre de temps.

Les Espagnols s'étaient avancés le long de la côte jusqu'à Puerto Viejo. Ils y furent rejoints par un autre petit renfort d'environ trente hommes, commandés par un officier nommé Belalcazar. Continuant donc sa marche le long du rivage de ce qui est maintenant appelé le golfe de Guyaquil, Pizarre arriva à la hauteur de la petite île de Puna, située à peu de distance de la baie de Tumbez. Les dispositions des insulaires semblèrent favoriser ses projets. Il était depuis peu dans leur voisinage lorsqu'une députation d'indigènes, cacique à leur tête, passa sur le continent dans des balsas pour inviter les Espagnols à se rendre dans leur île. Les interprètes indiens de Tumbez, qui étaient revenus d'Espagne avec Pizarre et accompagnaient le camp, mirent leur maître en garde contre la traîtrise des insulaires qu'ils accusèrent de vouloir massacrer les Espagnols. Cependant, lorsque Pizarre accusa le cacique de ce dessein perfide, il le nia avec un air d'innocence tellement sincère que le commandant espagnol, sans plus d'hésitation, s'en remit à lui pour le transporter avec ses compagnons; ils parvinrent sans encombre aux rivages de Puna, dont les insulaires, hardis et indépendants, avaient jadis opposé une résistance obstinée aux armes des Incas et étaient de ce fait restés hostiles à leurs voisins de Tumbez. Ces derniers n'eurent pas plus tôt appris l'arrivée de Pizarre dans l'île que, se rappelant sans doute leurs anciennes relations d'amitié, ils vinrent en assez grand nombre à l'endroit où se trouvaient les Espagnols. La présence de ces rivaux détestés n'était nullement agréable aux jaloux habitants de Puna. Le séjour prolongé des Blancs dans leur île ne pouvait que leur être à charge. Dans leur attitude extérieure, ils gardaient encore les mêmes dispositions amicales; mais les interprètes de Pizarre le mirent de nouveau en garde contre la perfidie proverbiale de ses hôtes.

Ses soupçons ainsi éveillés, le commandant espagnol apprit qu'un certain nombre de chefs s'étaient réunis pour établir un plan d'insurrection. Ne voulant pas attendre l'explosion, il entoura de soldats le lieu de réunion des insulaires et fit prisonniers les chefs suspects. Suivant un auteur, ils avouèrent leurs crimes. Mais cela n'est rien moins que certain, pas plus que le projet de soulèvement, même s'il en existe une probabilité. La certitude, c'est que Pizarre crut à l'existence d'une conspiration; sans plus hésiter, il abandonna ses malheureux prisonniers au nombre de dix ou douze, à la merci de leurs rivaux de Tumbez qui les massacrèrent aussitôt sous ses yeux.

Furieux de cet outrage, le peuple de Puna courut aux armes et tous se jetèrent sur le camp espagnol, avec des hurlements effrayants et des cris sauvages de désespoir. L'avantage du nombre était tout en leur faveur, car ils avaient rassemblé plusieurs milliers de guerriers. Mais l'avantage décisif des armes et de la discipline était du côté de leurs adversaires; lorsque les Indiens se précipitaient en masse confuse à l'assaut, les Castillans les recevaient froidement sur leurs longues piques ou les balayaient par des décharges de mousqueterie. Leurs corps, mal protégés, étaient aisément taillés en pièces par les épées tranchantes des Espagnols. Fernand Pizarre, prenant la tête de la cavalerie, chargea hardiment et les dispersa de tous côtés sur le champ de bataille jusqu'à ce que, saisis de panique par le terrible escadron des cavaliers bardés d'acier, le bruit étourdissant et les éclairs des armes à feu, les fugitifs cherchassent un abri dans les profondeurs de leurs forêts. Il ne périt pas plus de trois ou quatre Espagnols dans le combat; mais plusieurs furent blessés et, parmi ceux-ci, Fernand Pizarre qui fut atteint gravement à la jambe par une javeline.

Dans cette situation défavorable, le commandant espagnol fut réconforté par l'arrivée de deux vaisseaux. Ils amenaient un renfort de cent volontaires et des chevaux pour la cavalerie. Ces troupes étaient commandées par Fernand de Soto, capitaine qui devint célèbre plus tard par la découverte du Mississipi. Pizarre se sentit alors assez fort pour passer sur le continent et pour reprendre les opérations militaires sur un théâtre favorable aux découvertes et aux conquêtes. Il apprit des Indiens de Tumbez que depuis quelque temps le pays était déchiré par une guerre civile entre deux fils du dernier souverain, qui se disputaient le trône. Il regarda cet avis comme de la plus haute importance, car il se souvint de l'usage que Cortez avait fait de dissensions semblables chez les tribus d'Anahuac. (Pizarre semble avoir voulu suivre l'exemple de son illustre prédécesseur dans plusieurs occasions. Mais il resta loin de son modèle car, malgré la contrainte qu'il s'imposait quelquefois, sa nature plus grossière et son caractère farouche le portèrent souvent à des actes très contraires à la saine politique et que n'eût jamais approuvée le conquérant du Mexique.)

* * *

La première apparition que firent les Blancs sur les rivages de l'océan Pacifique en Amérique du Sud eut lieu dix ans environ avant la mort de Huayna Capac, lorsque Balboa traversa le golfe de Saint-Michel et recueillit les premiers renseignements précis sur l'empire des Incas. Il est douteux que le bruit de ces aventures soit arrivé aux oreilles du monarque indien. Il connut la première expédition conduite par Pizarre et Almagro,

lorsque ce dernier pénétra jusqu'au rio de San Juan, à
quatre degrés nord environ. Les rapports qu'il reçut
firent une forte impression sur l'esprit de Huayna Capac.
Il distingua, dans les prouesses et dans les armes formidables des envahisseurs, des preuves d'une civilisation
très supérieure à celle de son peuple. Il exprima la crainte
qu'ils ne revinssent, et qu'un jour, proche peut-être, le
trône des Incas ne fût renversé par ces étrangers doués de
pouvoirs si incompréhensibles.

Huayna Capac, comme les autres princes péruviens,
avait une multitude de concubines, qui lui laissèrent
une nombreuse postérité. L'héritier de la couronne, fils
de sa sœur et femme légitime, se nommait Huascar.
A l'époque, il avait environ trente ans. Immédiatement
après lui, venait un autre fils né de la cousine du monarque, Manco Capac, jeune prince qui occupera une
place importante dans la suite de cette histoire. Mais le
plus chéri des enfants de l'Inca était Atahuallpa. Les
dernières années de Huayna Capac se passèrent dans son
nouveau royaume de Quito. Atahuallpa fut élevé sous
ses yeux et l'accompagna dès son enfance dans ses
campagnes; il dormait sous la même tente que le roi
son père et partageait ses repas. A son lit de mort, le
souverain appela autour de lui les grands officiers de la
couronne et déclara que sa volonté était que l'ancien
royaume de Quito passât à Atahuallpa, qu'on pouvait
regarder comme ayant des droits naturels à cet antique
domaine de ses ancêtres. Il laissa le reste de l'empire
à Huascar et il enjoignit aux deux frères d'acquiescer
à cet arrangement et de vivre en amitié. Il laissait
pourtant, dans ce partage même de l'autorité, les germes
d'une inévitable discorde. Pendant près de cinq ans
après la mort de Huayna Capac, les deux frères régnèrent,
chacun dans la partie de l'empire qui lui était assignée,
sans défiance mutuelle ou du moins sans heurt. Mais
avec les causes nombreuses de jalousie et de mécontentement et la multitude de courtisans perfides qui
trouveraient leur compte à les envenimer, il était aisé

de voir que ce paisible état de choses ne pouvait durer.

Atahuallpa était un guerrier ambitieux et entreprenant; il était constamment occupé à agrandir son territoire, bien que sa politique artificieuse veillât à ne pas étendre ses acquisitions du côté des États de son frère. Son esprit remuant excita cependant quelque alarme à la cour de Cuzco. Enfin, Huascar envoya une ambassade à Atahuallpa pour lui faire des remontrances sur ses entreprises ambitieuses et le sommer de lui rendre hommage pour son royaume de Quito. Les manières libérales du jeune Atahuallpa l'avaient rendu cher aux soldats, avec lesquels il avait servi dans plus d'une campagne, du vivant de son père. Ces troupes étaient l'élite de la grande armée de l'Inca. Quelques-uns de ces soldats avaient été laissés dans le nord où ils s'étaient empressés de se soumettre au jeune souverain de Quito. Ils étaient commandés par deux officiers très considérés, ayant acquis une grande expérience de la guerre et qui avaient joui de la haute confiance du dernier Inca. L'un se nommait Quizquiz; l'autre, qui était l'oncle maternel d'Atahuallpa, s'appelait Chalicuchima. Guidé par ces habiles guerriers, le jeune monarque se mit à la tête de sa vaillante armée et se dirigea vers le sud. Il n'avait pas dépassé Ambato, à vingt lieues environ de sa capitale, lorsqu'il rencontra une nombreuse armée que son frère envoyait contre lui, sous le commandement d'un général de la famille des Incas. Une sanglante bataille fut livrée, qui dura la plus grande partie du jour et dont le théâtre fut la lisière du Chimborazo. Le combat se termina en faveur d'Atahuallpa; les Péruviens furent mis en déroute après avoir subi de lourdes pertes, dont leur général.

Le prince de Quito profita de cet avantage pour continuer sa marche jusqu'aux portes de Tumebamba. Cette ville, comme tout le district, quoique dépendant anciennement de Quito, avait pris parti pour son rival. Entré en vainqueur dans la ville conquise, il passa les habitants au fil de l'épée et la rasa jusqu'au sol, avec tous ses fastueux édifices, dont quelques-uns étaient

l'ouvrage de son père. Il porta la même guerre d'extermination dans tout le district coupable de Canaris. Le
sort de Canaris jeta la terreur dans le cœur des ennemis
et les villes ouvrirent l'une après l'autre leurs portes au
vainqueur qui continua sa marche triomphale vers la
capitale du Pérou. Ses armes éprouvèrent un échec
momentané devant l'île de Puna, dont les vaillants
guerriers soutenaient la cause de son frère. Après quelques jours perdus devant cette place, Atahuallpa,
laissant le soin de vider la querelle à ses anciens ennemis
de Tumbez, maintenant ralliés à sa cause, reprit sa
marche et s'avança jusqu'à Caxamalca, à sept degrés sud
environ. Là, il s'arrêta avec un détachement de l'armée,
tandis qu'il envoyait le gros de ses troupes en avant,
sous le commandement d'un de ses deux généraux, avec
ordre de se porter droit sur Cuzco. Il préféra ne pas
s'engager plus loin dans le pays ennemi où une défaite
pouvait être fatale. En établissant ses quartiers à
Caxamalca, il pouvait soutenir ses généraux en cas de
revers, ou du moins assurer sa retraite sur Quito, jusqu'à
ce qu'il fût capable de reprendre les hostilités.

Les deux généraux, avançant à marches forcées,
traversèrent enfin la rivière Apurimac et arrivèrent près
de la capitale du Pérou. Cependant, Huascar n'était pas
resté oisif. En apprenant la défaite de son armée à
Ambato, il avait levé des troupes dans tout le pays.
On dit que, sur l'avis de ses prêtres — les conseillers
les moins compétents au moment du danger — il attendit
dans sa capitale l'approche de l'ennemi. Ce fut seulement
lorsque celui-ci arriva à quelques lieues de Cuzco que
l'Inca, prenant conseil des mêmes directeurs spirituels,
sortit pour livrer bataille. Les deux armées se rencontrèrent dans les plaines de Quipaypan, au voisinage de la
métropole péruvienne. Les historiens ne sont pas
d'accord sur le nombre des combattants; mais les
troupes d'Atahuallpa étaient beaucoup plus disciplinées
et aguerries, car beaucoup de soldats de Huascar avaient
été levés à la hâte dans le pays environnant.

On combattit de part et d'autre avec l'énergie propre à une affaire décisive. On se disputait, non plus une province, mais un empire. Les troupes d'Atahuallpa, enflammées par leurs succès récents, se battirent avec la confiance de gens qui comptaient sur la supériorité de leur vaillance, tandis que les fidèles vassaux de l'Inca faisaient preuve de tout le dévouement d'hommes qui font bon marché de leur vie au service de leur maître. Le combat dura avec le plus grand acharnement du lever du soleil à son coucher. Le sol était couvert de monceaux de morts et de mourants, dont les os blanchissaient encore le champ de bataille, longtemps après la conquête des Espagnols. Enfin, la fortune se déclara pour Atahuallpa.

Ces événements dataient du printemps de 1532, quelques mois avant le débarquement des Espagnols. La nouvelle de la victoire fut portée à Caxamalca sur les ailes du vent. Les réjouissances furent longues et bruvantes, non seulement dans le camp d'Atahuallpa, mais dans la ville et les environs; tous arrivaient, empressés d'offrir leurs félicitations au vainqueur, et de lui rendre hommage. Le prince de Quito n'hésita pas davantage à prendre le borla écarlate, diadème des Incas. Son triomphe était complet. Il avait battu ses ennemis sur leur propre territoire, pris leur capitale, mis le pied sur la tête de son rival et s'était emparé de l'antique sceptre des Enfants du Soleil. Mais l'heure de son triomphe devait être celle de sa plus profonde humiliation. Atahuallpa n'était pas de ceux à qui, suivant le langage du poète grec, « les Dieux veulent se révéler ». Il n'avait pas lu dans les cieux. La petite tache que l'œil clairvoyant de son père avait discernée à l'horizon, ne fut pas remarquée d'Atahuallpa, tout entier à sa lutte implacable contre son frère; cette tache, montant maintenant vers le zénith, s'étendant de plus en plus et couvrant le ciel de ténèbres, allait lancer la foudre sur la nation infortunée.

LIVRE TROISIEME

La conquête du Pérou

CHAPITRE 1

La capture de l'Inca

Nous avons laissé les Espagnols à l'île de Puna, se préparant à descendre sur le continent voisin, à Tumbez. Ce port n'était éloigné que de quelques lieues et Pizarre, avec la plus grande partie de ses compagnons, passa sur les vaisseaux pendant que les autres devaient transporter les bagages du commandant et les provisions militaires sur quelques balsas indiennes. Il résolut de laisser une partie de ses compagnons à Tumbez, ceux que leur état de santé rendait les moins propres à faire campagne, et d'entreprendre avec le reste une marche vers l'intérieur pour reconnaître le pays avant d'arrêter un plan d'opérations.

Après trois ou quatre semaines passées en reconnaissances, Pizarre en vint à conclure que le lieu le plus favorable pour son nouvel établissement était la riche vallée de Tangarala, à trente lieues au sud de Tumbez. Il ordonna donc aux hommes qu'il avait laissés à Tumbez

de s'y rendre immédiatement sur leurs vaisseaux.
Aussitôt qu'ils furent arrivés, on s'empressa de faire
des préparatifs pour bâtir la ville d'une manière conforme
aux besoins de la colonie. Pizarre donna à sa ville
naissante le nom de San Miguel, « en reconnaissance
des services que lui avait rendus ce saint » dans ses
combats contre les Indiens de Puna. Avant de quitter
le nouvel établissement, Pizarre fit fondre en un seul
lingot les ornements d'or et d'argent qu'il avait trouvés
dans différentes parties du pays et on en déduisit un
cinquième pour la couronne.

Dans sa dernière tournée de reconnaissance, le commandant espagnol avait recueilli beaucoup de renseignements importants sur l'état du royaume. Les récits
qu'on lui faisait de la richesse et de la puissance de ce
monarque et de sa grande capitale du Midi, répondaient
parfaitement aux précédentes informations. Par conséquent, ils étaient également propres à ébranler la
confiance et à stimuler la cupidité des envahisseurs.
Pizarre aurait vu avec plaisir sa petite armée fortifiée
par des renforts, si faibles fussent-ils. En conséquence,
il retarda son départ de plusieurs semaines. Mais aucun
renfort n'arrivait. Alors il se décida à marcher vers
l'intérieur. Le 24 septembre 1552, cinq mois après le
débarquement à Tumbez, Pizarre sortit des portes de
San Miguel, à la tête de son petit corps d'aventuriers,
après avoir enjoint aux colons de traiter leurs vassaux
indiens avec humanité, et de se conduire de manière
à s'assurer la bienveillance des tribus environnantes.
A la tête de ses troupes, il s'enfonça hardiment au cœur
du pays, dans la direction où, suivant ses informations,
se trouvait le camp de l'Inca.

Après avoir traversé les eaux tranquilles de la Piura,
la petite armée continua d'avancer dans un pays coupé
de rivières descendant des Cordillères voisines. Partout,
les populations simples les recevaient avec une hospitalité confiante, que les Espagnols devaient, sans aucun
doute, à leur conduite peu agressive. Cinq jours après

avoir quitté San Miguel, Pizarre s'arrêta dans une des vallées fort agréables pour laisser reposer ses troupes et en faire une inspection plus complète. Leur nombre était en tout de cent soixante-dix-sept hommes, dont soixante-sept cavaliers. Ces soldats étaient assez bien équipés. Mais l'œil vigilant du chef remarqua avec inquiétude que, malgré la bonne volonté que manifestaient généralement ses compagnons, il s'en trouvait quelques-uns dont le visage était assombri par le mécontentement, et il jugea qu'il valait mieux amputer la partie gangrenée, à quelque prix que ce fût, que d'attendre qu'elle eût gagné le corps entier. Il prit une résolution étonnante.

Ayant rassemblé ses hommes, il leur déclara que leurs affaires étaient parvenues à un point critique qui exigeait tout leur courage. Nul ne pouvait songer à poursuivre l'expédition s'il ne le faisait de tout cœur et sans le moindre doute quant au succès. Ceux qui le voulaient pouvaient s'en retourner; ils auraient droit à la même proportion de terre et de vassaux indiens que les colons actuels. Avec ceux qui voudraient partager les chances de sa fortune, qu'ils fussent peu ou beaucoup, il poursuivrait l'aventure jusqu'au bout. En insistant sur les besoins de la petite colonie de San Miguel, il offrait un prétexte décent à la retraite des mécontents et renversait la barrière de honte qui aurait pu encore les retenir dans le camp. Il y en eut peu, neuf en tout, qui profitèrent de la permission du général. Quatre appartenant à l'infanterie et cinq à la cavalerie. Les autres déclarèrent hautement leur résolution d'aller de l'avant avec leur brave capitaine.

Se sentant fortifié et non affaibli par les défections, Pizarre reprit sa marche et arriva le lendemain devant une ville appelée Zaran, située dans une vallée fertile au milieu des montagnes. Les Espagnols n'apercevaient aucun signe qui leur annonçât l'approche du campement royal, quoiqu'il se fût déjà écoulé plus de temps qu'il n'en fallait pour l'atteindre, suivant leur première estimation. Peu avant d'entrer à Zaran, Pizarre avait appris qu'une garnison péruvienne était établie dans un lieu appelé Caxas. Il détacha immédiatement dans cette direction une petite troupe sous la conduite de Fernand de Soto, pour reconnaître le terrain et lui rapporter des renseignements à Zaran où il s'arrêterait jusqu'au retour de l'officier.

Les jours se succédaient et Pizarre commençait à s'alarmer sérieusement sur le sort des éclaireurs lorsque, le matin du huitième jour, de Soto parut, ramenant un envoyé de l'Inca lui-même. C'était un homme de haut rang, suivi de plusieurs personnes d'une condition inférieure. Il avait rencontré les Espagnols à Caxas et les accompagnait à leur retour, pour remettre un message de son souverain, avec un présent au commandant espagnol. Pizarre comprit bien que l'objet de l'Inca dans cette visite diplomatique était moins de lui faire une politesse que de s'informer du nombre et de la condition des envahisseurs. Il fit traiter l'envoyé péruvien aussi bien que les ressources du camp pouvaient le permettre et lui témoigna, dit un des conquérants, les égards dus à l'ambassadeur d'un si grand monarque.

Au départ du messager péruvien, Pizarre lui présenta un bonnet de drap cramoisi, quelques ornements de verre ayant plus d'éclat que de valeur et autres bagatelles qu'il avait apportées de Castille dans cette intention. Il chargea l'envoyé de dire à son maître que les Espagnols venaient de la part d'un puissant prince qui demeurait bien loin au-delà des mers; qu'ils avaient entendu parler des glorieuses victoires d'Atahuallpa, qu'ils étaient venus lui présenter leurs respects et lui offrir de l'aider de leurs armes contre ses ennemis.

Pizarre reçut ensuite de de Soto le récit complet de son expédition. Ce chef, en entrant à Caxas, avait trouvé les habitants formés en un rassemblement hostile, comme pour lui disputer le passage. Mais il les convainquit bientôt de ses intentions pacifiques et, quittant leur attitude menaçante, ils reçurent les Espagnols avec la

même courtoisie qu'on manifestait presque partout aux
conquérants dans leur marche. De Soto avait trouvé
un des officiers royaux, occupé à lever tribut pour
le gouvernement. Il apprit de ce fonctionnaire que
l'Inca était avec une grande armée à Caxamalca,
ville importante de l'autre côté de la Cordillère. De
Caxas, de Soto était arrivé à la ville voisine de Guanca-
bamba, beaucoup plus grande, plus peuplée et mieux
bâtie que la précédente. A un autre endroit, ils virent
un de ces magasins à l'usage de l'armée, rempli de grains
et d'objets d'habillement, et à l'entrée de la ville un
bâtiment en pierre occupé par un officier public dont
l'emploi était de percevoir les droits et les taxes sur les
différentes marchandises importées dans la ville ou qui
en sortaient. Ces récits de de Soto, non seulement confirmèrent tout ce que les Espagnols savaient déjà de
l'empire indien, mais renforcèrent l'idée qu'ils se faisaient
de ses ressources et de sa police intérieure.

Pizarre, s'étant alors renseigné sur la route la plus
directe pour aller à Caxamalca — le Caxamarca d'aujour-
d'hui — reprit sa marche, se dirigeant presque au sud.
Le premier endroit un peu important où il s'arrêta fut
Motupe, bien située dans une vallée fertile, au milieu
de montagnes peu élevées, qui se groupent autour de
la base des Cordillères. La ville était abandonnée par
son curaca, qui était parti avec trois cents guerriers
pour rejoindre l'étendard de l'Inca. A Motupe, le général
s'arrêta quatre jours, malgré son intention déclarée
d'aller de l'avant sans retard. Pizarre ordonna à son
frère Fernand de traverser la rivière avec un petit
détachement pendant la nuit, pour assurer le débarquement du reste des troupes. A l'aube, Pizarre prépara
son passage. Ce fut un jour de rude travail. Le chef en
prit sa part franchement, comme un simple soldat,
ayant toujours une parole encourageante pour ses
compagnons.

Lorsque le récit de son expédition fut rapporté par
Fernand à son frère, celui-ci fut pris d'une vive inquié-

tude. Le curaca, personnage principal du village, avait
visité lui-même le camp royal et il apprit au général
qu'Atahuallpa occupait la ville forte de Guamachucho,
à vingt lieues ou davantage au sud de Caxamalca, avec
une armée d'au moins cinquante mille hommes. Ces
rapports jetèrent le capitaine dans une grande perplexité.
Il proposa à l'un des Indiens qui l'avaient accompagné
de se rendre comme espion aux quartiers de l'Inca, de
lui rendre compte de la position de celui-ci et de ses
intentions à l'égard des Espagnols. Mais cet homme
refusa positivement cette mission dangereuse; en
revanche, il se déclara prêt à partir comme messager
autorisé du commandant espagnol.

Pizarre accepta cette proposition et le chargea d'informer l'Inca qu'il avançait en toute diligence. Il devait
faire connaître au monarque la conduite constamment
modérée qu'avaient eue les Espagnols envers ses sujets
en s'avançant dans le pays, et l'assurer qu'ils étaient
certains de trouver en lui les mêmes dispositions amicales
à leur égard; puis le prudent capitaine se remit en marche.
Au bout de trois jours, il atteignit la base du rempart de
montagnes derrière lequel se trouvait la ville de Caxamalca. Devant lui s'élevait la chaîne des Andes, et ses
entassements de rocs. Les troupes devaient franchir
maintenant ce formidable rempart à travers un labyrinthe
de passages qu'une poignée d'hommes pouvait aisément
défendre contre une armée. A droite, s'étendait une
route large et unie, bordée d'ombrages bienfaisants.
Certains étaient d'avis que l'armée devait prendre ce
dernier chemin et abandonner sa première destination
de Caxamalca. Mais ce ne fut pas la décision de Pizarre.

Les Espagnols avaient proclamé partout leur intention
de rendre visite à l'Inca dans son camp. Ce dessein
avait été communiqué à l'Inca lui-même. Prendre une
direction opposée n'aurait pour conséquence que d'attirer
sur eux le reproche de lâcheté et d'encourir le mépris
d'Atahuallpa. Il n'y avait d'autre solution que de
marcher droit à ses quartiers à travers la sierra. Pizarre,

de même que Cortez, possédait une bonne part de cette éloquence franche et mâle qui touche plus le cœur du soldat que la pompe de la rhétorique et l'élégance du langage. Il n'y eut plus d'hésitation. Toutes les pensées se fixèrent sur le passage prochain des Cordillères.

Au point du jour, le général espagnol et son détachement étaient sous les armes et prêts à affronter les difficultés de la sierra. Elles se trouvèrent plus grandes qu'on ne l'avait prévu. Les défilés sauvages de la sierra, praticables à l'Indien demi-nu ou encore à la mule prudente et sûre — animal qui semble créé pour les routes des Cordillères — étaient formidables pour l'homme d'armes, chargé de son fourniment. Plusieurs de ces passages constituaient évidemment des points de défense et les Espagnols, lorsqu'ils entraient dans ces défilés entourés de roches, cherchaient d'un regard inquiet l'ennemi qui avait pu s'y embusquer. Ils atteignirent enfin la crête de la Cordillère, où se déploient des espaces immenses et solitaires, couronnés d'une maigre végétation. Pizarre s'arrêta pour attendre l'arrière-garde.

Ils étaient là depuis peu lorsqu'arriva un des messagers qui accompagnaient l'Indien que Pizarre avait envoyé à Atahuallpa. Il informa le général que la route était libre et qu'une ambassade de l'Inca était en chemin vers le camp castillan. Peu après arriva l'ambassade indienne, composée d'un noble Inca avec une suite apportant en cadeau quelques lamas au chef espagnol. Le Péruvien était aussi chargé des compliments de son maître qui désirait savoir quand les Espagnols arriveraient à Caxamalca, afin de pouvoir leur préparer des rafraîchissements.

Le lendemain, de bonne heure, les troupes reprirent leur marche et mirent deux jours pour traverser les défilés des Cordillères. Bientôt après, comme elles commençaient à descendre le revers oriental, un autre émissaire de l'Inca arriva, portant un message semblable au précédent et aussi un présent de brebis péruviennes. La descente de la sierra, bien que les Andes soient moins escarpées à l'est qu'à l'ouest, fut accompagnée de difficultés presque égales à celles de la montée et les Espagnols éprouvèrent de vives satisfactions lorsque, le septième jour, ils arrivèrent en vue de la vallée de Caxamalca.

La vallée était de forme ovale; elle avait environ cinq lieues de long sur trois de large. A travers les prairies coulait une large rivière, qui facilitait une irrigation abondante au moyen des canaux ordinaires et des aqueducs souterrains. Le pays, entrecoupé de haies verdoyantes, était bigarré de cultures diverses. Le sol était riche et le climat, s'il était moins ardent que celui des régions brûlantes de la côte, favorisait davantage les productions vigoureuses des latitudes tempérées. Au-dessous des aventuriers s'étendait la petite ville de Caxamalca, avec ses maisons blanches brillant au soleil, semblable à une pierre précieuse étincelant sur la sombre lisière de la sierra. On voyait sur la pente des hauteurs un nuage blanc de pavillons qui couvraient la terre, aussi pressés que des flocons de neige, dans un espace qui paraissait de plusieurs lieues. Ce spectacle jeta une sorte de confusion et même de crainte dans les cœurs les plus fermes. Mais il était trop tard pour reculer. Ainsi donc, faisant aussi bonne contenance que possible, après avoir froidement reconnu le terrain, ils se préparèrent à entrer dans Caxamalca.

Pizarre, divisant sa petite armée en trois corps, descendit alors d'un pas plus mesuré, en ordre de bataille, sur les pentes qui menaient à la ville indienne. C'était une ville d'environ dix mille habitants. Les maisons étaient bâties, pour la plupart, d'argile durcie au soleil; les toits étaient de chaume ou de bois. Quelques habitations qui prétendaient à plus de luxe étaient en pierre de taille. Il y avait, dans la ville, un couvent occupé par les Vierges du Soleil, et un temple dédié à la même divinité était caché dans un bosquet, aux confins de l'agglomération.

Ce fut tard dans l'après-midi, le 15 novembre 1532,

que les Espagnols entrèrent dans la ville de Caxamalca. Pizarre était si impatient de s'assurer des dispositions de l'Inca à son égard qu'il lui envoya sur-le-champ une ambassade. Il choisit pour cela Hernando de Soto avec quinze cavaliers et, après son départ, pensant que le nombre était trop faible en cas de démonstrations hostiles de la part des Indiens, il ordonna à son frère Fernando de suivre avec vingt cavaliers de plus. Le détachement atteignit bientôt une rivière large mais peu profonde qui, serpentant à travers la prairie, formait une défense en avant de la position de l'Inca. Un des Indiens désigna le quartier occupé par le souverain.

C'était une cour ouverte, avec une construction légère ou maison de plaisance au centre, entourée de galeries et donnant par derrière sur un jardin. Les murs étaient revêtus d'un plâtre brillant, en partie blanc, en partie coloré. Dans l'espace qui précédait l'édifice, on voyait un bassin spacieux ou réservoir en pierre, alimenté par des aqueducs qui y versaient de l'eau chaude et de l'eau froide. Un bassin en pierres de taille, peut-être d'une construction plus récente, porte encore en cet endroit le nom de « bain de l'Inca ». La cour était remplie de nobles Indiens, vêtus de brillants costumes, qui composaient la suite du monarque, et de femmes de la maison royale. Au milieu de cette assemblée, il n'était pas difficile de distinguer la personne d'Atahuallpa, quoique son costume fût plus simple que ceux des gens de sa suite. Il portait sur sa tête le borla, ou frange écarlate, entourant le front et tombant jusqu'aux sourcils, signe bien connu de la souveraineté péruvienne, pris par le monarque depuis la défaite de son frère Huascar. Il était assis sur un siège bas semblable à un coussin, à peu près à la façon des Maures ou des Turcs; les nobles et les principaux officiers se tenaient debout autour de lui en grande cérémonie, occupant des places déterminées selon leur rang.

Fernand Pizarre et de Soto, suivis seulement de deux ou trois de leurs compagnons, s'avancèrent lentement en face de l'Inca; le premier, saluant respectueusement, mais sans mettre pied à terre, dit à Atahuallpa qu'il venait comme ambassadeur de son frère, le chef des hommes blancs, pour faire connaître au monarque leur arrivée dans sa ville de Caxamalca. Ils étaient les sujets d'un puissant prince d'outre-mer et ils étaient venus, disaient-ils, attirés par le bruit de ses grandes victoires, lui offrir leurs services et lui communiquer les doctrines de la vraie foi qu'ils professaient; il apportait une invitation du général, demandant à Atahuallpa de bien vouloir rendre visite aux Espagnols dans leurs quartiers.

L'Inca ne répondit pas un mot; il ne témoigna même pas par signe qu'il avait compris, quoique Felipillo, l'un des interprètes, traduisît les paroles de l'Espagnol. Il resta silencieux, les yeux fixés à terre; mais un de ses nobles, debout à côté de lui, répondit « c'est bien ». La situation était embarrassante pour les Espagnols. Fernand Pizarre rompit encore le silence d'une manière courtoise et respectueuse pour prier l'Inca de leur parler lui-même et de les informer de sa volonté. Atahuallpa condescendit à répondre, tandis qu'un léger sourire passait sur son visage : « Dites à votre capitaine que j'observe un jeûne qui finira demain matin. J'irai le voir alors avec mes principaux chefs. En attendant, qu'il occupe les bâtiments publics de la place, et point d'autres, jusqu'à mon arrivée; j'ordonnerai ensuite ce qu'il y aura à faire. »

Les serviteurs royaux offrirent alors des rafraîchissements aux Espagnols qui les refusèrent, ne voulant pas quitter leurs chevaux. Prenant ensuite respectueusement congé de l'Inca, les cavaliers retournèrent à Caxamalca en évoquant tristement ce qu'ils avaient vu : la magnificence et la richesse du monarque indien; la force de ses troupes, leur belle ordonnance et la discipline qui paraissait régner dans leurs rangs. Leurs camarades du camp furent bientôt atteints par cet esprit contagieux de découragement, qui ne diminua pas lorsque la nuit fut venue et qu'ils virent les feux des Péruviens éclairant les flancs des montagnes et brillant dans l'obscurité.

Pizarre se réjouissait secrètement d'avoir enfin amené les choses au point qu'il avait si longtemps désiré. Il assembla ses officiers pour examiner son plan d'opérations, ou plutôt pour leur proposer le plan extraordinaire auquel il s'était arrêté. Ce plan consistait à faire tomber l'Inca dans une embuscade et à le faire prisonnier au vu de son armée. La situation des Espagnols était, en effet, désespérée. Rester inactifs dans leur position actuelle semblait également périlleux. En supposant même qu'Atahuallpa entretînt des dispositions amicales envers les chrétiens, ceux-ci ne pouvaient se fier à la durée de tels sentiments. En se familiarisant avec les Blancs, l'ennemi cesserait bientôt de voir en eux des êtres surnaturels ou même d'une espèce supérieure. Leur petit nombre exciterait son mépris. Leur unique ressource était donc de tourner les artifices de l'Inca contre lui-même, de le prendre, s'il était possible, à son propre piège. L'invitation de les visiter dans leurs quartiers qu'il avait acceptée avec tant de confiance, fournissait le meilleur moyen de réaliser cette capture désirable. Il n'était pas nécessaire d'admettre toutes les forces indiennes dans la ville avant l'attaque; et lorsqu'on se serait assuré de la personne de l'Inca, ses partisans surpris d'un événement si extraordinaire, quel que fût leur nombre, n'auraient pas le cœur de continuer la résistance. Pizarre, maître de l'Inca, pourrait dicter ses lois à l'empire. Pizarre ayant concerté ses plans pour le lendemain, la séance fut levée et le général s'occupa à pourvoir à la sécurité du camp pendant la nuit.

La plaza était défendue de trois côtés par des lignes d'édifices peu élevés, composés de salles spacieuses avec de larges portes ou vomitoires ouvrant sur la place. Dans ces salles, il posta sa cavalerie divisée en deux corps, l'un sous son frère Fernand, l'autre sous de Soto. Il mit son infanterie dans un autre bâtiment, se réservant vingt hommes pour agir avec lui, selon que l'occasion l'exigerait. Dans la forteresse, il établit Pedro de Candia avec un petit nombre de soldats et l'artillerie, comprenant sous ce nom imposant deux petites pièces de canon, appelées fauconneaux. Tous reçurent l'ordre d'attendre à leur poste l'arrivée de l'Inca. Après son entrée dans la grand-place, ils devaient encore se tenir cachés, évitant d'être aperçus, jusqu'à ce que le signal fût donné par un coup de canon. Ils devaient alors pousser leurs cris de guerre, s'élancer tous ensemble de leur embuscade et, passant les Péruviens au fil de l'épée, enlever la personne de l'Inca.

Il était midi quand le cortège indien se mit en marche; on le vit s'avancer sur la grande chaussée dont il couvrait un long espace. Lorsque le cortège royal fut arrivé près de la ville, il fit halte. Pizarre vit, avec surprise, qu'Atahuallpa se préparait à dresser ses tentes, comme pour camper dans cet endroit. Bientôt, arriva un messager qui apprit aux Espagnols que l'Inca garderait cette position la nuit suivante et qu'il entrerait dans la ville le lendemain matin.

Cet avis troubla beaucoup Pizarre qui avait vu, avec la même impatience que ses soldats, la lenteur des mouvements des Péruviens. Les troupes étaient sous les armes depuis l'aube, la cavalerie et l'infanterie à leurs postes, attendant sans bruit l'arrivée de l'Inca. Nulle épreuve n'était plus pénible pour le soldat, Pizarre le savait, qu'une incertitude prolongée dans une situation si critique. Il répondit donc à Atahuallpa, le suppliant de ne point changer ses intentions et ajoutant qu'il avait tout préparé pour le recevoir et qu'il l'attendait le soir même pour souper.

Ce message détourna l'Inca de son projet. Faisant enlever de nouveau ses tentes, il reprit sa marche, après avoir averti le général qu'il laisserait en arrière la plus grande partie de ses guerriers et qu'il entrerait dans la ville avec un petit nombre d'entre eux et sans armes, préférant passer la nuit à Caxamalca. Il est difficile de s'expliquer cette conduite flottante d'Atahuallpa, si

différente du caractère hardi et décidé que l'histoire lui
attribue. Il est certain qu'il visitait les Blancs avec une
bonne foi parfaite, bien que Pizarre eût probablement
raison de supposer que cette disposition amicale avait
une base très précaire.

Peu avant le coucher du soleil, l'avant-garde du
cortège royal franchit les portes de la ville. Lorsque les
premiers rangs du cortège entrèrent dans la grand-place,
plus vaste, dit un ancien chroniqueur, qu'aucune place
d'Espagne, ils s'ouvrirent à droite et à gauche pour
laisser passer la suite royale. Tout était conduit dans un
ordre admirable. Le frère Vincent de Valverde, moine
dominicain, chapelain de Pizarre et depuis lors évêque
de Cuzco, s'avança, tenant d'une main son bréviaire ou,
selon d'autres récits, une Bible, et de l'autre un crucifix.
S'approchant de l'Inca, il lui dit qu'il venait, par ordre
du général, lui exposer les doctrines de la vraie foi;
c'était là le but qui avait conduit les Espagnols si loin
de leur pays. Un des derniers Papes avait chargé le roi
d'Espagne, le plus puissant monarque du monde, de
conquérir et de convertir les indigènes de l'hémisphère
occidental; son général, François Pizarre, venait accomplir cette importante mission.

Les yeux du monarque indien étincelèrent et ses noirs
sourcils s'assombrirent encore en répondant : « Je ne
serai tributaire d'aucun homme! Je suis plus grand
qu'aucun prince sur la terre. Votre empereur peut être
un grand prince; je n'en doute pas, puisqu'il a envoyé
ses sujets si loin à travers les mers, et je consens à le
regarder comme un frère. Quant au Pape, dont vous
parlez, il doit être fou pour donner des pays qui ne lui
appartiennent pas. Pour ma foi, je n'en changerai pas »,
continua-t-il. Il demanda ensuite à Valverde sur quelle
autorité il appuyait ses paroles. Le frère désigna le livre
qu'il tenait comme autorité. Atahuallpa, le prenant, en
tourna les pages un instant puis, comme l'insulte qu'il
avait subie lui revenait probablement à l'esprit, il le jeta
vivement à terre.

Le moine, scandalisé de l'outrage fait au livre saint, ne prit que le temps de le ramasser. Courant vers Pizarre, il s'écria : « Ne voyez-vous pas que, tandis que nous nous épuisons en paroles avec ce chien plein d'orgueil, la campagne se couvre d'Indiens? Courez-lui sus! Je vous donne l'absolution. » Pizarre vit que l'heure était venue. Il agita en l'air un pavillon blanc; c'était le signal convenu. Le fatal coup de canon fut tiré de la forteresse. Alors, s'élançant sur la place, le capitaine et ses compagnons poussèrent leur vieux cri de guerre : « Saint-Jacques, et tombons sur eux! » Nobles et gens du peuple, tous étaient foulés aux pieds sous les charges furieuses des cavaliers qui frappaient à droite et à gauche sans ménagement. Toutes les issues étaient fermées : l'entrée de la place était encombrée des corps de ceux qui avaient péri en faisant de vains efforts pour fuir. Le massacre continuait avec la même ardeur autour de l'Inca, dont la personne était le but principal de l'attaque. Le monarque indien, abasourdi, épouvanté, voyait sans comprendre la situation, ses fidèles sujets tomber autour de lui. Pizarre, qui en était le plus rapproché, s'écria d'une voix de stentor : « Que celui qui tient à sa vie ne touche pas à l'Inca ». En étendant le bras pour le protéger, il fut blessé à la main par un de ses soldats; ce fut la seule blessure reçue dans l'action par un Espagnol. Le borla impérial fut immédiatement arraché du front de l'Inca par un soldat nommé Estete et le malheureux monarque, fortement escorté, fut conduit dans un des édifices voisins, où on le garda étroitement. Toute résistance cessa à l'instant. La nouvelle du sort de l'Inca se répandit bientôt dans la ville et dans tout le pays.

Le massacre, lui, ne cessa pas : il n'y avait personne pour l'arrêter. Il ne paraîtra pas étrange qu'il n'y ait eu aucune résistance, si l'on considère que les malheureuses victimes étaient sans armes. Pizarre tint le soir son engagement avec l'Inca, puisqu'il fit souper Atahuallpa avec lui. Le banquet fut servi dans une des salles qui bordaient la grand-place, laquelle, peu avant, avait été le théâtre du massacre et dont le pavé était encore encombré des cadavres des sujets de l'Inca. Le monarque captif fut placé près de son vainqueur. Il semblait ne pas comprendre encore toute l'étendue de son malheur. S'il le comprenait, il montra un courage surprenant. « C'est la fortune de la guerre », disait-il et si nous pouvons croire les Espagnols, il exprima son admiration de l'adresse avec laquelle ils s'y étaient pris pour le surprendre au milieu de ses propres troupes.

Atahuallpa avait environ trente ans. Il était bien fait et plus robuste que la plupart de ses compatriotes. Pizarre se montra plein d'égards pour son royal prisonnier. Ne pouvant dissiper le sombre nuage qui couvrait le front du monarque, en dépit de son sang-froid affecté, il s'efforça au moins de l'éclairer par quelques rayons consolateurs. Il le supplia de ne pas se laisser abattre par ses revers; son sort avait été celui de tous les princes qui avaient résisté aux Blancs.

Avant de se livrer au sommeil, Pizarre harangua brièvement ses troupes sur leur situation actuelle. Lorsqu'il se fut assuré que pas un homme n'était blessé, il les invita à remercier la Providence d'un si grand miracle; sans son secours, ils n'auraient jamais pu triompher si aisément de l'armée ennemie. Le lendemain matin, le premier soin du général espagnol fut de faire nettoyer la ville de ses souillures. Les prisonniers, qui étaient en grand nombre dans le camp, furent employés à enlever les morts et à leur donner une sépulture décente. Le nombre des prisonniers indiens étaient si considérable que quelques-uns des conquérants étaient d'avis de les mettre tous à mort. Le général rejeta cette proposition. Le détachement envoyé pour piller la maison de plaisance de l'Inca rapporta un riche butin en or et en argent, consistant surtout en vaisselle utilisée à la table royale et dont la grandeur et le poids surprirent les Espagnols. Cette vaisselle, ainsi que plusieurs grosses émeraudes qu'on avait prises en même temps, et les dépouilles précieuses trouvées sur les seigneurs indiens qui avaient péri dans le massacre, furent mises sous bonne garde.

Pizarre aurait alors volontiers dirigé sa marche sur la capitale du Pérou. Mais la distance était grande et il avait peu de forces. Il envoya un courrier à San Miguel, pour apprendre aux Espagnols qui y étaient restés ses nouveaux succès et pour s'informer s'il y avait eu quelque arrivée de Panama.

Atahuallpa ne tarda guère à découvrir, chez ses vainqueurs, sous les apparences du zèle religieux, une passion cachée, plus puissante dans la plupart des cœurs que la religion ou l'ambition : c'était l'amour de l'or. Il résolut d'en profiter pour obtenir sa liberté. Il dit un jour à Pizarre que, s'il voulait le mettre en liberté, il s'engageait à couvrir d'or le plancher de la chambre où ils étaient. Comme l'Inca ne recevait pas de réponse, il dit avec emphase « qu'il ne couvrirait pas seulement le plancher, mais qu'il remplirait la chambre d'or aussi haut qu'il pouvait atteindre » et, se mettant sur la pointe du pied, il leva la main contre le mur. Il devait y avoir quelque fondement à tout cela. Dans tous les cas, il était prudent d'accepter la proposition de l'Inca, puisqu'en agissant ainsi, il pouvait réunir tout l'or dont il disposait et, par là, empêcher les indigènes de le soustraire ou de le cacher. Il acquiesça donc à l'offre d'Atahuallpa. Tirant une ligne rouge sur le mur à la hauteur que l'Inca avait indiquée, il fit enregistrer exactement par le notaire les termes de la proposition. La chambre avait environ dix-sept pieds de large sur vingt-deux de long, et la ligne était tracée sur le mur à neuf pieds du sol. Cet espace devait être rempli d'or. Il convint en outre de remplir deux fois d'argent une chambre voisine de moindres dimensions et l'Inca demanda deux mois pour remplir ces conditions.

Aussitôt que cet arrangement fut conclu, l'Inca envoya des courriers à Cuzco et dans les autres villes principales du royaume, avec l'ordre d'enlever les ornements et les objets en or des palais royaux, des temples et des autres édifices publics, et de les transporter à Caxamalca sans perdre de temps. Quoiqu'il n'eût pas la permission de sortir, il n'était pas enchaîné et pouvait se déplacer dans ses appartements, sous l'œil jaloux d'une garde qui connaissait trop bien la valeur de son captif pour se relâcher de sa surveillance. On lui accorda la compagnie de ses femmes favorites. Pizarre prit soin de faire respecter sa vie privée; ses sujets avaient libre accès auprès de leur souverain. Chaque jour, il recevait les visites des seigneurs indiens qui venaient apporter des présents et faire leur cour à leur maître infortuné.

Huascar ne fut pas plus tôt informé de la captivité de son rival et de l'énorme rançon qu'il avait offerte pour sa délivrance, qu'il s'efforça par tous moyens de recouvrer sa liberté, comme l'avait prévu Atahuallpa. Il envoya ou essaya d'envoyer un message au commandant espagnol, s'engageant à payer une rançon beaucoup plus forte que celle que promettait Atahuallpa qui, n'ayant jamais habité Cuzco, ignorait la quantité des richesses qui s'y trouvaient et les endroits où elles étaient déposées. Avis de tout ceci fut donné secrètement à Atahuallpa. Sans plus d'hésitation, il se décida à écarter pour toujours cette cause de jalousie par la mort de son frère. Ses ordres furent rapidement exécutés : le malheureux prince fut noyé.

Plusieurs semaines s'étaient écoulées depuis que les émissaires d'Atahuallpa étaient partis pour réunir l'or et l'argent qui devaient payer sa rançon aux Espagnols. A certains jours, on apporta des articles de la valeur de trente ou quarante mille pesos de oro et parfois de cinquante ou même soixante mille pesos. Des bruits circulaient d'une insurrection péruvienne, et les Espagnols redoutaient quelque attaque générale et soudaine contre leurs quartiers. Pizarre rapporta à son prisonnier les bruits répandus parmi les soldats, indiquant comme un des lieux désignés pour le rendez-vous des Indiens, la ville voisine de Guamachucho. Atahuallpa l'écouta avec un étonnement sincère et repoussa, d'un air indigné,

cette imputation comme entièrement fausse. « Aucun
de mes sujets, dit-il, n'oserait paraître en armes ou lever
le doigt sans mes ordres. Je suis, continua-t-il, en votre
pouvoir. Ma vie n'est-elle pas à votre disposition? Et
quelle meilleure garantie pouvez-vous avoir de ma bonne
foi? Mais, afin de vous convaincre que j'agis de bonne
foi, je désire que vous envoyiez quelques-uns des vôtres
à Cuzco. Je leur donnerai un sauf-conduit. Arrivés là,
ils pourront surveiller l'exécution de mes ordres et voir
de leurs yeux qu'il ne se prépare point de mouvements
hostiles. »

Pizarre, désireux d'avoir des renseignements plus
précis, en profita avec empressement. Avant le départ
des émissaires, le général avait envoyé son frère Fernand,
avec vingt chevaux environ et un petit corps d'infanterie, à la ville proche de Guamachucho, afin de reconnaître le pays. Fernand trouva tout tranquille, mais
avant de quitter cette ville, il reçut de son frère l'ordre
de continuer sa marche jusqu'à Pachacamac, ville située
sur la côte, à cent lieues au moins de Caxamalca.

C'était un voyage très difficile. La route longeait,
sur les deux tiers de son parcours, le plateau des Cordillères, coupée quelquefois par les crêtes de la chaîne, ce
qui retardait beaucoup la marche. Heureusement, sur une
grande partie du chemin, ils profitèrent de la grande
route de Cuzco et « rien dans la chrétienté, s'écrie
Fernand Pizarre, n'égale la magnificence de cette route
à travers la sierra ». Les Espagnols furent surpris du
nombre et de l'importance des troupeaux de lamas qu'ils
virent, broutant les herbes rabougries qui croissent dans
les hautes régions des Andes. Parfois, ils étaient parqués
dans des enclos; le plus souvent, ils erraient en liberté,
sous la surveillance de leurs bergers indiens. Les conquérants apprirent alors que ces animaux étaient l'objet
d'autant de soins et leurs migrations réglées avec autant
d'exactitude que celle des immenses troupeaux de
mérinos de leur propre pays.

Soit par obéissance aux ordres de l'Inca, soit par

respect pour leurs exploits, les conquérants furent reçus
partout où ils passèrent avec une bienveillance hospi-
talière. On pourvut à leur logement et on leur fournit
d'abondantes provisions tirées des magasins placés de
distance en distance le long de la route. Enfin, après
plusieurs semaines d'un voyage qui fut pénible malgré
tous les secours, Fernand Pizarre arriva devant la ville
de Pachacamac. S'étant présenté à l'entrée inférieure
du temple, les gardiens de la porte refusèrent de
l'admettre; mais lui, s'écriant « qu'il venait de trop loin
pour être arrêté par le bras d'un prêtre indien », força
le passage. Les Indiens voulurent encore empêcher
Pizarre de violer l'enceinte sacrée; tout à coup, un
phénomène sismique, qui ébranla les antiques murailles
jusque dans leurs fondements, effraya tellement les
indigènes qui accompagnaient Pizarre et les habitants
de la ville, qu'ils s'enfuirent épouvantés. Pizarre et sa
troupe pénétrèrent dans l'intérieur. Au lieu d'une salle,
comme ils se l'étaient follement imaginé, brillante d'or
et de pierres précieuses, offrandes des adorateurs de
Pachacamac, ils se trouvèrent dans une chambre petite
et obscure, ou plutôt dans un antre, dont le sol et les
parois exhalaient l'odeur repoussante d'une boucherie.
C'était le lieu des sacrifices.

L'officier espagnol comprit qu'il était arrivé un peu
trop tard et que les prêtres de Pachacamac, avertis de sa
mission, avaient mis en sûreté la plus grande partie de
l'or et l'avaient emportée avant son arrivée. On en
découvrit ensuite une certaine quantité enfouie dans les
terrains environnants. Ce qu'on obtint fut encore considérable, s'élevant presque à quatre-vingt mille castellanos. Fernand recueillit de son expédition un autre
avantage, qui le consola en partie de la perte de son
trésor. Tandis qu'il était à Pachacamac, il apprit que
le chef indien Challcuchima se trouvait, avec une troupe
nombreuse, près de Xauxa. Cet homme, proche parent
d'Atahuallpa, était son général le plus habile. Avec
Quizquiz, alors à Cuzco, il avait remporté dans le sud

les victoires qui avaient placé l'Inca sur le trône. Pizarre comprit qu'il importait de s'assurer de sa personne. La route par les montagnes présentait de grandes difficultés. Comme on ne disposait pas de fer, mais seulement d'or ou d'argent, on fit ferrer avec ce dernier métal les chevaux de toute la troupe.

Xauxa était une ville grande et peuplée, quoiqu'il soit difficile d'ajouter foi à l'assertion des conquérants, selon laquelle cent mille personnes s'assemblaient habituellement sur la grand-place de la ville. Le général péruvien, disait-on, campait avec une armée de trente-cinq mille hommes à quelques lieues seulement de la· ville. On le persuada difficilement d'avoir une entrevue avec Pizarre. Ce dernier lui parla avec courtoisie et le pressa de venir avec lui aux quartiers castillans à Caxamalca, lui disant que c'était la volonté de l'Inca. Depuis la captivité de son maître, Challcuchima était resté incertain sur la conduite à tenir. Il se soumit aux ordres de Pizarre qui, ainsi, atteignit son but sans coup férir. Le barbare, au contact de l'homme blanc, semblait avoir été frappé par son génie : il arriva, suivi d'un nombreux cortège, et porté dans une chaise sur les épaules de ses vassaux. En accompagnant les Espagnols à leur retour, à travers le pays, il reçut partout des populations des hommages qui n'étaient rendus qu'au favori du monarque. Toute cette pompe s'évanouit lorsqu'il arriva en présence de l'Inca, dont il s'approcha les pieds nus, portant sur son dos un léger fardeau qu'il avait reçu d'une personne de sa suite. En approchant, le vieux guerrier leva les mains au ciel et s'écria : « Que n'étais-je ici! Cela ne serait point arrivé. » S'étant ensuite agenouillé, il baisa les mains et les pieds de son royal maître et les baigna de larmes. Atahuallpa, de son côté, ne trahit pas la moindre émotion et ne témoigna par aucun signe la satisfaction que lui causait la présence de son conseiller favori. La froide contenance du monarque contrastait étrangement avec la sensibilité loyale du sujet.

Atahuallpa prisonnier était toujours traité par les

*« Ainsi périt, supplicié comme un vil malfaiteur,
le dernier des Incas... » (p. 104).*

Espagnols avec respect. Vis-à-vis de ses sujets, il
maintenait autant que possible son ancienne grandeur
et le cérémonial accoutumé. Il était entouré de ses femmes
et des jeunes filles de son harem. Un corps de seigneurs
indiens se tenait dans l'antichambre. L'image de la
royauté avait encore du charme pour lui, quand la réalité
s'était évanouie.

Peu de temps après l'arrivée du détachement de
Pachacamac, vers la fin du mois de mai, les trois émissaires revinrent de Cuzco, leur mission accomplie. Grâce
aux ordres de l'Inca et au respect que les hommes blancs
inspiraient alors dans tout le pays, les Espagnols avaient
trouvé partout un accueil favorable. A Cuzco, on les
reçut avec des réjouissances publiques, ils furent logés
somptueusement et tous leurs besoins furent satisfaits
grâce au dévouement empressé des habitants. Leur
rapport sur la capitale confirma tout ce que Pizarre
avait entendu dire jusque-là de la richesse et de la
population de cette cité. Les Péruviens obéirent à contrecœur à l'ordre de leur souverain de dépouiller le temple
national, que chaque habitant de la ville regardait avec
orgueil et une vénération particulière. Le nombre des
plaques qu'ils enlevèrent du temple du Soleil était de
sept cents. Elles n'étaient sans doute pas d'une grande
épaisseur, mais larges de dix ou douze pouces. Les
Indiens rassemblèrent autant d'or qu'il était nécessaire
pour satisfaire leurs indignes visiteurs : les messagers
en rapportaient deux cents charges complètes. C'était
une contribution considérable à la demande d'Atahuallpa. Bien que le trésor fût encore très au-dessous
du volume prescrit, le monarque voyait approcher avec
satisfaction le moment où serait entièrement réalisée
sa rançon.

Peu de temps auparavant, une arrivée à Caxamalca
avait changé la condition des Espagnols et influencé
défavorablement le destin de l'Inca : celle d'Almagro,
à la tête de renforts considérables. Celui-ci avait réussi,
après de grands efforts, à équiper trois vaisseaux et à

rassembler un corps de cent cinquante hommes avec
lesquels il avait fait voile vers Panama à la fin de l'année
précédente. Dans son voyage, Almagro fut rejoint par
un petit renfort venant du Nicaragua, de sorte que ses
effectifs s'élevaient en tout à cent cinquante fantassins
et cinquante cavaliers, bien pourvus en armement. Tout
d'abord, ils n'avaient pas eu de nouvelles de Pizarre,
et ces hommes, dont la plupart étaient des aventuriers
novices, voulurent, en arrivant à Puerto Viejo, abandonner l'expédition et retourner immédiatement à Panama. Heureusement, l'un d'entre eux, qu'Almagro
avait envoyé en avant à Tumbez, rapporta enfin des
nouvelles de Pizarre et de la colonie qu'il avait fondée
à San Miguel. Réconforté par ces nouvelles, Almagro
continua son voyage et réussit, vers la fin de décembre
1522, à amener tout son monde sain et sauf à l'établissement espagnol. Là, il apprit la marche de Pizarre
à travers les montagnes, l'arrestation de l'Inca et
bientôt après l'énorme rançon offerte pour sa délivrance.
Almagro et ses compagnons écoutèrent avec surprise
ces nouvelles de leur associé et de son changement de
fortune, si rapide et si merveilleux qu'il semblait presque
magique. En même temps, le chef reçut d'un des colons
le conseil de ne pas se livrer au pouvoir de Pizarre, dont
le mauvais vouloir à son égard était connu.

Peu après l'arrivée d'Almagro à San Miguel, on en
donna avis à Caxamalca. Un billet de son secrétaire
Perez fit savoir à Pizarre que son associé n'était pas venu
pour coopérer avec lui, mais dans l'intention d'établir
un gouvernement indépendant. Les deux capitaines
espagnols semblent avoir été entourés d'esprits bas et
turbulents, qui cherchaient à les brouiller, espérant sans
doute trouver leur avantage dans la rupture. Pour cette
fois, leurs machinations criminelles échouèrent.

Pizarre fut ravi de l'arrivée d'un tel renfort qui lui
donnerait les moyens de poursuivre son avantage et
de continuer la conquête du pays. Il ne fit pas grand cas
de la communication du secrétaire. Quel que pût être

le projet primitif d'Almagro, Pizarre savait que la riche veine qu'il avait ouverte lui assurerait infailliblement sa coopération pour exploiter le pays.

L'arrivée d'Almagro changea donc les vues de Pizarre, en le mettant en état de reprendre les opérations actives et de poursuivre ses conquêtes dans l'intérieur des terres. Le seul obstacle était la rançon de l'Inca. Les Espagnols avaient attendu patiemment que le retour de leurs envoyés eût élevé le trésor à une valeur considérable, bien qu'il fût encore au-dessous de la limite convenue. Il valait mieux le partager sur-le-champ et que chacun possédât et défendît son bien. Cependant, avant de procéder au partage, il fallait réduire la totalité en lingots d'un titre et d'un poids uniformes; car le butin se composait d'une variété infinie d'articles, dans lesquels l'or se trouvait à des degrés de pureté très différents. Avant de briser ces échantillons de l'art indien, il fut décidé d'en envoyer à l'empereur un certain nombre qui serait déduit du cinquième royal. On choisit quelques-uns des plus beaux objets, à concurrence de cent mille ducats, et Fernand Pizarre fut désigné pour les porter en Espagne, avec mission d'obtenir une audience de Charles-Quint. En même temps qu'il mettrait les trésors à ses pieds, il lui rendrait compte des actes des conquérants et demanderait qu'on accrût leurs pouvoirs et leurs dignités.

Personne dans l'armée n'était plus propre à cette mission que Fernand Pizarre, en raison de son habileté et de sa connaissance des faits; personne ne semblait plus capable de faire valoir efficacement ces requêtes à l'orgueilleuse cour de Castille. Mais d'autres raisons déterminèrent ce choix.

Son ancienne jalousie contre Almagro renaissait, et il avait vu arriver ce dernier avec des sentiments de répugnance qu'il ne cacha pas : cet homme venait partager les fruits de la victoire et frustrer son frère des honneurs qui lui étaient dus. Au lieu de rendre son salut cordial à Almagro, lors de leur première entrevue, l'arrogant conquistador se tint à l'écart dans un sombre silence. Son frère François fut très mécontent d'une conduite qui menaçait de ressusciter l'ancienne querelle. Il engagea Fernand à l'accompagner aux quartiers d'Almagro et à s'excuser pour son incivilité.

La fonte de la vaisselle fut confiée aux orfèvres du pays. La valeur totale de l'or était d'un million trois cent vingt-six mille cinq cent trente-neuf pesos de oro. La quantité d'argent fut estimée à cinquante et un mille six cent dix marcs. Il est sans exemple qu'un pareil butin, et sous la forme la plus réalisable, en argent comptant pour ainsi dire, soit échu en partage à une petite bande d'aventuriers, tels que les conquérants du Pérou. L'or était le but essentiel des expéditions espagnoles dans le Nouveau Monde : le succès dans ce domaine avait été complet.

Une nouvelle difficulté s'éleva au sujet du partage du trésor. Les compagnons d'Almagro prétendaient être admis au partage. Comme ils dépassaient en nombre les soldats de Pizarre, les profits de ces derniers se fussent trouvés réduits. Il fut convenu entre les chefs que les compagnons d'Almagro abandonneraient leurs prétentions pour une somme forfaitaire peu élevée, et se jetteraient dans l'aventure pour faire eux-mêmes leur fortune. Cette affaire délicate ainsi réglée, Pizarre se prépara avec beaucoup de solennité au partage des dépouilles impériales.

Le cinquième royal fut d'abord déduit, en y comprenant la remise déjà envoyée en Espagne. La part de Pizarre s'éleva à cinquante-sept mille deux cent vingt-deux pesos d'or et deux mille trois cent cinquante marcs d'argent. Il eut en outre le trône de l'Inca en or massif, évalué vingt-cinq mille pesos d'or. On paya à son frère Fernand trente et un mille quatre-vingts pesos d'or et deux mille trois cent cinquante marcs d'argent. De Soto reçut dix-sept mille sept cent quarante pesos d'or et sept cent vingt-quatre marcs d'argent. La plupart des autres cavaliers, au nombre de soixante, reçurent huit mille huit cent quatre-vingts pesos d'or et trois cent

soixante-deux marcs d'argent. Quelques-uns eurent
davantage; d'autres, en petit nombre, beaucoup moins.
L'infanterie comptait en tout cent cinq hommes. Il fut
accordé à près d'un cinquième d'entre eux quatre mille
quatre cent quarante pesos d'or par tête et cent quatre-
vingts marcs d'argent, soit la moitié de la part des
cavaliers. Le reste reçut un quart de moins bien que,
là encore, il y eut des exceptions et que quelques-uns
furent obligés de se contenter d'une part de butin
beaucoup plus faible.

Le partage de la rançon achevé, il semblait qu'il n'y
avait plus d'obstacles à ce que les Espagnols reprissent
leurs opérations et se missent en marche pour Cuzco.
Mais que faire d'Atahuallpa? Comment résoudre cette
question? Le délivrer serait mettre en liberté l'homme
même qui pouvait devenir leur plus dangereux ennemi.
Le retenir en captivité n'entraînerait guère moins de
difficultés. La garde d'un prisonnier si important obli-
gerait les Espagnols à diviser leurs forces de manière
à en paralyser la puissance. L'Inca lui-même reven-
diquait hautement sa liberté. La rançon promise, à la
vérité, n'avait pas été entièrement payée. Mais une
somme immense avait déjà été réalisée, et l'Inca pouvait
alléguer qu'elle eût été encore plus forte sans l'impatience
des Espagnols. Atahuallpa fit valoir ces considérations
spécialement auprès de Hernando de Soto, qui était plus
familier avec lui que ne l'était Pizarre. De Soto rapporta
la déclaration d'Atahuallpa à son général, mais celui-ci
évita de répondre directement.

Cependant, le bruit que les indigènes méditaient une
attaque recommença à circuler parmi les soldats : on le
répétait en l'amplifiant. Il n'était pas facile de découvrir
l'origine de ces rumeurs. Il y avait dans le camp un grand
nombre d'Indiens du parti de Huascar, et par conséquent
hostiles à Atahuallpa. Les bruits d'un soulèvement
parmi les indigènes désignaient Atahuallpa comme en
étant l'auteur. Challcuchima fut interrogé à ce sujet,
mais il déclara ignorer totalement de tels projets, ne

voyant là que des calomnies. L'Inca aperçut promptement les causes, peut-être même les conséquences, de l'accusation. Il voyait l'abîme ouvert soús ses pas, lui qui était entouré d'étrangers et ne pouvait attendre d'eux ni conseils ni protection.

Ces protestations d'innocence eurent peu d'effet sur les troupes, parmi lesquelles le bruit d'un soulèvement général continuait à s'accréditer d'heure en heure. On murmurait d'une manière menaçante contre l'Inca, auteur présumé de ces machinations. Plusieurs commençaient à réclamer sa mort comme nécessaire à la sécurité de l'armée. Pizarre était, ou semblait être sourd à ces suggestions, montrant une répugnance visible à en venir à des mesures extrêmes envers son prisonnier. Quelques-uns, et parmi eux Hernando de Soto, le soutenaient à cet égard. Le général espagnol se décida à envoyer un petit détachement à Guamachucho pour reconnaître le pays et vérifier quel était le fondement des bruits d'insurrection. De Soto fut mis à la tête de l'expédition, qui ne devait durer que quelques jours, la distance étant réduite.

Après son départ, l'agitation, au lieu de diminuer parmi les soldats, s'accrut à un point tel que Pizarre, incapable d'y résister, consentit à faire juger immédiatement Atahuallpa. On organisa une cour, que les deux capitaines, Pizarre et Almagro, durent présider. Un procureur général fut chargé de poursuivre au nom de la couronne et un avocat fut désigné. Les charges contre l'Inca, rédigées sous forme d'interrogatoire, étaient au nombre de douze. Les plus importantes lui reprochaient d'avoir usurpé la couronne et assassiné son frère Huascar; d'avoir dissipé les revenus publics depuis la conquête du pays par les Espagnols et de les avoir prodigués à ses parents et à ses favoris; enfin d'avoir essayé de fomenter une insurrection contre les Espagnols. La plupart de ces accusations avaient rapport aux usages nationaux ou aux relations personnelles de l'Inca, sur quoi les Espagnols n'avaient évidemment aucune compétence. L'examen fut bientôt achevé. Il y eut une chaude discussion au sujet du bien ou du mal qui résulterait de la mort d'Atahuallpa. Il fut trouvé coupable et condamné à être brûlé vif sur la grande place de Caxamalca. On soumit une copie du jugement au père Valverde qui y apposa sa signature, déclarant qu'à son avis l'Inca méritait la mort dans tous les cas.

Il se trouva cependant quelques hommes, dans ce conclave de soldats, pour résister à ces mesures despotiques. Ils les considéraient comme une triste récompense de toutes les faveurs que leur avait accordées l'Inca. Ils objectaient que les preuves étaient insuffisantes et refusaient à un tel tribunal le droit de juger un prince souverain au milieu de ses propres États. Mais la grande majorité — à dix contre un — déclara que le crime d'Atahuallpa n'était pas douteux et qu'ils revendiquaient la responsabilité de sa punition. La dispute alla si loin qu'elle menaça un moment d'amener une rupture ouverte et violente. Convaincu que la résistance était inutile, le parti le plus faible se contenta de faire enregistrer une protestation écrite contre ces procédures.

Lorsque la sentence fut communiquée à l'Inca, il en fut extrêmement surpris. Cette conviction accablante abattit un moment son courage et il s'écria, les larmes aux yeux, en s'adressant à Pizarre : « Qu'avons-nous fait, moi et mes enfants, pour mériter une telle destinée? » Il demanda ensuite, du ton le plus pitoyable, que sa vie fût épargnée, offrant toutes les garanties qu'on pourrait exiger, s'engageant à doubler la rançon qu'il avait déjà payée, si on lui en donnait le temps. Pizarre était visiblement affecté, en s'éloignant de l'Inca, de cet appel qu'il ne pouvait entendre. Atahuallpa, voyant qu'il ne pouvait fléchir son vainqueur, reprit son calme habituel et se soumit, dès ce moment, à son sort avec le courage d'un guerrier indien.

L'arrêt concernant l'Inca fut proclamé au son de la trompette sur la grande place de Caxamalca. Deux heures après le coucher du soleil, les soldats espagnols s'assemblèrent sur la plaza, à la lueur des torches, pour assister à l'exécution de la sentence. Le 29 août 1533, Atahuallpa fut amené, les chaînes aux pieds et aux mains. Le père Vicente de Valverde était à son côté, le persuadant d'abjurer sa superstition et d'embrasser la religion de ses conquérants, lui promettant que s'il y consentait, la mort cruelle à laquelle il était condamné serait commuée en la peine moins terrible du garrot — supplice par strangulation, employé en Espagne pour les criminels.

Le malheureux monarque consentit à abjurer sa religion et à recevoir le baptême. La cérémonie fut célébrée par le père Valverde. Le nouveau converti reçut le nom de Juan de Atahuallpa. Il exprima le désir que ses restes pussent être transportés à Quito, lieu de sa naissance, pour être conservés avec ceux de ses ancêtres maternels. Puis, s'adressant à Pizarre, il le supplia pour dernière requête de prendre pitié de ses jeunes enfants et de les recevoir sous sa protection. Reprenant alors son maintien stoïque, il se soumit tranquillement à son sort pendant que les Espagnols, se pressant autour de lui, marmottaient leur credo pour le salut de son âme, avant de faire célébrer religieusement ses funérailles. Ainsi périt, supplicié comme un vil malfaiteur, le dernier des Incas!

Peu après ces tragiques événements, Hernando de Soto revint. Sa surprise et son indignation furent grandes en apprenant ce qui s'était passé en son absence. Il chercha aussitôt Pizarre. « Vous avez agi témérairement, lui dit-il; s'il était nécessaire de faire le procès de l'Inca, il devait être conduit en Castille et jugé par l'Empereur. J'aurais moi-même garanti sa sécurité à bord du vaisseau. » Pizarre avoua qu'il avait agi avec précipitation et dit avoir été trompé par Riquelme, Valverde et les autres. Ces accusations arrivèrent aux oreilles du trésorier et du dominicain qui se justifièrent à leur tour et accusèrent Pizarre. La dispute s'envenima. Cette querelle entre les chefs, sitôt après l'événement, est le meilleur commentaire de l'iniquité de leurs procédés et de l'innocence de l'Inca.

Le traitement que souffrit Atahuallpa constitue certainement l'un des plus sombres chapitres de l'histoire des colonies espagnoles. Dès l'instant où Pizarre et ses compagnons étaient entrés dans la sphère d'influence d'Atahuallpa, les indigènes leur avaient tendu une main amie. Mais le premier acte des Espagnols, en traversant les montagnes, fut d'enlever le monarque et de massacrer son peuple. La longue captivité de l'Inca avait été employée par le conquérant à le dépouiller de ses trésors. Pourtant, le souverain s'était conduit avec une générosité et une bonne foi singulières en ouvrant un libre passage aux Espagnols dans toutes les parties de son empire, et il leur avait fourni toutes facilités pour l'exécution de leurs plans. Du début à la fin, la politique des conquérants espagnols envers leur malheureuse victime fut empreinte de barbarie et de fraude.

Il est difficile de ne pas considérer Pizarre comme hautement responsable de cette politique. Il sentait probablement depuis longtemps que la disparition d'Atahuallpa était essentielle au succès de son entreprise. Il reculait devant la responsabilité de la décision et préféra agir en cédant aux pressions des autres. Il souhaitait recueillir le profit d'une mauvaise action tout en laissant ses compagnons encourir le blâme.

Les secrétaires de Pizarre disent qu'Almagro et ses compagnons furent les premiers à demander la mort de l'Inca. Ils furent soutenus par le trésorier et les officiers royaux, qui jugeaient cette exécution indispensable. La formalité d'un jugement était nécessaire pour donner une apparence de justice à la procédure, mais ce ne fut vraiment qu'une formalité. Si Pizarre avait éprouvé la répugnance qu'il affectait pour cette condamnation, pourquoi fit-il partir de Soto, le meilleur ami d'Atahuallpa, lorsque l'enquête allait être décidée? Pourquoi la sentence fut-elle exécutée si sommairement, avant le retour de ce chevalier? La farce solennelle du deuil et du profond chagrin affiché par Pizarre voulait faire croire à sa sincérité, mais c'était un voile trop

transparent pour tromper les plus crédules. Pizarre,
chef de l'armée, était responsable de la conduite de
celle-ci; il n'était pas homme à se laisser arracher l'autorité ou à céder craintivement aux pressions. Il ne cédait
même pas à ses propres impulsions. Il est même inutile
de chercher les motifs de la conduite de Pizarre dans une
rancune personnelle, lorsqu'on découvre tant de preuves
d'un noir dessein et d'une politique délibérée. La persécution d'Atahuallpa est regardée avec raison comme
une tache ineffaçable sur les armes espagnoles au
Nouveau Monde.

L'Inca était souverain du Pérou d'une manière particulière. Son autorité atteignait l'attitude la plus secrète
du sujet, la pensée même de l'individu. Il était révéré
comme un être surhumain. Il était la clé de voûte dont
la suppression devait entraîner la ruine de l'édifice
politique. C'est ce qui se passa à la mort d'Atahuallpa.
Sa mort, non seulement laissa le trône vacant sans
héritier bien déterminé, mais la manière dont elle survint
apprit aux Péruviens qu'une main plus forte que celle
de leurs Incas avait maintenant saisi le sceptre et que
la dynastie des Enfants du Soleil avait disparu pour
toujours.

Les conséquences naturelles d'une telle conviction ne
tardèrent pas à se faire sentir. Les Indiens se jetèrent
dans des excès d'autant plus grands qu'ils échappaient
à la contrainte extraordinaire à laquelle ils avaient été
précédemment soumis. Des villages furent brûlés, des
temples et des palais mis au pillage et l'or qu'ils renfermaient dispersé ou caché. L'or et l'argent acquérirent
de la valeur aux yeux du Péruvien lorsqu'il vit l'importance qu'y attachaient ses vainqueurs. Les métaux
précieux furent entassés et enterrés dans les cavernes
et dans les forêts. On prétendait que la quantité d'or et
d'argent cachée par les indigènes dépassait de beaucoup
celle qui tomba dans les mains des Espagnols. Les
provinces reculées secouèrent le joug des Incas. Leurs
généraux agirent pour leur propre compte. Le pays était

dans cette situation où un ancien ordre de choses disparaît et où le nouveau n'est pas encore établi, — situation en quelque sorte révolutionnaire.

Les responsables de cette révolution, Pizarre et ses compagnons, demeuraient à Caxamalca. Le premier acte du général espagnol fut de nommer un successeur à Atahuallpa. Le véritable héritier de la couronne était un second fils de Huayna Capac, nommé Manco, frère légitime de l'infortuné Huascar. Mais Pizarre connaissait trop peu les dispositions de ce prince. Il ne se fit aucun scrupule de préférer un frère d'Atahuallpa et de le présenter aux seigneurs indiens comme leur futur Inca. Le front du jeune Inca Toparca fut entouré du borla impérial par les mains de son vainqueur et il reçut l'hommage de ses vassaux indiens, dont la plupart appartenaient à la faction de Quito.

Toutes les pensées se tournèrent alors avidement vers Cuzco, dont les descriptions les plus brillantes circulaient parmi les soldats et dont on représentait les temples et les palais royaux comme étincelants d'or et d'argent. L'imagination ainsi exaltée, Pizarre et toutes ses troupes partirent de Caxamalca au commencement de septembre. Tous marchaient pleins d'ardeur, les soldats de Pizarre dans l'espoir de doubler leurs richesses et les compagnons d'Almagro dans la perspective de partager également les dépouilles avec les « premiers conquérants ». Le jeune Inca et le vieux chef Challcuchima accompagnaient l'expédition dans leurs litières. Ils suivirent dans leur marche la grande route des Incas, à travers les régions élevées des Cordillères, jusqu'à Cuzco. La montagne était taillée en escalier, et les rebords de la roche entamaient les sabots des chevaux; quoique les cavaliers fussent à pied et les conduisissent par la bride, ils souffraient beaucoup dans les efforts qu'ils faisaient pour se soutenir. Un autre et fréquent obstacle, c'était les torrents profonds qui se précipitent avec fureur du haut des Andes; ils étaient traversés de ponts suspendus en osier, dont les matériaux fragiles furent rompus au bout de quelque temps par le pas pesant de la cavalerie, et les brèches qui s'y firent ajoutaient beaucoup aux dangers du passage.

Ayant traversé plusieurs hameaux et plusieurs villes, Pizarre, après une marche pénible, arriva en vue de la riche vallée de Xauxa. Le vent glacial des montagnes pénétrait l'épaisse armure des soldats; mais les pauvres Indiens, vêtus plus légèrement et habitués à un climat tropical, souffrirent cruellement. La marche n'avait pas été inquiétée par les ennemis. Pourtant, plus d'une fois, ils avaient aperçu des traces de leur passage dans des villages fumants et des ponts détruits. En atteignant Xauxa, cependant, ils virent une sombre masse de guerriers, rassemblés sur le bord opposé de la rivière qui coulait dans la vallée. Les Espagnols s'avancèrent vers la rivière. Le pont avait été détruit, mais les conquérants, s'y précipitant sans hésiter, gagnèrent à la nage et à gué, du mieux qu'ils purent, la rive opposée. Les Indiens, qui se croyaient couverts par cet obstacle, déconcertés par ce mouvement hardi, prirent la fuite après avoir lancé une volée de traits inutiles.

Xauxa était une ville considérable. C'était celle dont il a été question plus haut comme ayant été visitée par Fernand Pizarre. Elle était située au milieu d'une verte vallée, fertilisée par mille petits ruisseaux. Il y avait, à l'époque des Incas, plusieurs vastes édifices en pierre brute et un temple assez important. Pizarre proposa de s'arrêter et d'y fonder une colonie espagnole. C'était une position favorable pour tenir en échec les montagnards indiens et elle offrait en même temps une communication facile avec la côte. Il résolut d'envoyer en avant de Soto avec un détachement de soixante chevaux, pour reconnaître le pays et rétablir les ponts détruits par l'ennemi.

Le capitaine espagnol traversa la rivière Abancay et les larges eaux de l'Apurimac. Comme il approchait de la sierra de Vilcaconga, il apprit qu'un corps considérable d'Indiens l'attendait dans les passes dangereuses des

montagnes. La sierra était à plusieurs lieues de Cuzco.
Quand il fut engagé dans ces défilés hérissés de rocs,
une multitude de guerriers armés, qui semblaient sortir
de chaque caverne et de chaque buisson de la sierra,
remplit l'air de ses cris de guerre et se précipita comme
un torrent sur les envahisseurs. De Soto s'efforça de
rétablir l'ordre et même de charger les assaillants.
Animant ses hommes par le vieux cri de guerre qui allait
toujours au cœur d'un Espagnol, il enfonça les éperons
dans les flancs de son cheval fatigué et, vaillamment
soutenu par sa troupe, il perça les rangs épais des
guerriers. Les rejetant à droite et à gauche, il réussit
enfin à atteindre la plaine. Là, les deux partis s'arrêtèrent
un moment, comme par un consentement mutuel, puis
de Soto et ses hommes chargèrent désespérément leurs
assaillants. Les intrépides Indiens soutinrent le choc avec
fermeté. Le résultat du combat était encore douteux
lorsque les ténèbres, s'épaississant autour d'eux, sépa-
rèrent les combattants.

Les deux partis se retirèrent alors du champ de
bataille et prirent leurs positions respectives à une portée
de trait l'un de l'autre. Il semblait probable, d'après
l'opiniâtreté déployée et un certain ordre observé dans
l'attaque, qu'elle était dirigée par quelque chef expérimenté, peut-être par le chef indien Quizquiz qui, disait-on,
se tenait aux environs de Cuzco avec une force nombreuse. Malgré des motifs raisonnables de crainte pour
le lendemain, de Soto, en intrépide cavalier qu'il
était, s'efforça de soutenir le courage de ses compagnons.

De temps en temps, dans sa marche, de Soto avait
envoyé à Pizarre des informations sur l'hostilité du pays.
Pizarre, sérieusement alarmé, craignit que le chevalier
ne fût accablé sous le nombre. En conséquence, il détacha
pour le secourir Almagro à la tête de presque tout le reste
de la cavalerie. Ce chef énergique fut assez heureux pour
atteindre le pied de la sierra de Vilcàconga la nuit même
qui suivit l'engagement. Là, ayant appris la rencontre,

il poussa en avant sans faire halte. La nuit était extrêmement sombre; Almagro, craignant de tomber dans
le bivouac de l'ennemi et voulant avertir de Soto de son
approche, commanda à ses trompettes de sonner jusqu'à
ce que le bruit, retentissant à travers les défilés des
montagnes, réveillât ses compatriotes. Ils répondirent
aussitôt avec leurs cors et eurent bientôt la satisfaction
d'embrasser leurs libérateurs.

L'effroi de l'armée péruvienne fut grand lorsque la
lumière du matin montra les renforts parvenus aux
Espagnols. Il était inutile de résister à un ennemi qui
semblait se multiplier à volonté. Sans essayer de
reprendre le combat, ils profitèrent d'un brouillard épais
qui couvrait les pentes inférieures des montagnes pour
effectuer leur retraite et laisser le passage aux envahisseurs. Les deux chevaliers, Almagro et de Soto, s'étant
établis sur une forte position, résolurent d'y attendre
l'arrivée de Pizarre.

A Xauxa, Pizarre était fort inquiet des bruits qui lui
parvenaient sur l'état du pays. Il n'était pas mieux
préparé que son lieutenant à trouver de la résistance chez
les indigènes. Il ne semblait pas comprendre que la
nature la plus douce pouvait se soulever contre l'oppression et que le meurtre de l'Inca, vénéré par ses sujets,
devait les tirer de leur apathie. Les nouvelles qu'il reçut
alors de la retraite des Péruviens lui firent grand plaisir.
Il semblait probable que quelque personnage important
avait organisé cette résistance des indigènes, et le
soupçon tomba sur le chef captif Challcuchima. Il fut
accusé d'entretenir une correspondance secrète avec son
allié Quizquiz. Pizarre se rendit auprès du chef indien.
L'accusant de conspirer, il déclara que, s'il ne faisait pas
en sorte que les Péruviens missent bas les armes et se
soumissent immédiatement, il serait brûlé vif quand
on arriverait aux quartiers d'Almagro. Le chef indien
écouta cette menace avec le plus grand calme. Il nia toute
communication avec ses compatriotes et dit que, étant
captif, il n'avait aucun pouvoir pour les amener à se

soumettre. Il garda ensuite un silence obstiné. On le plaça sous bonne garde et on le mit aux fers.

Avant de quitter Xauxa, un grave ennui survint aux Espagnols : leur créature, le jeune Inca Toparca, mourut. Le soupçon tomba naturellement sur Challcuchima, maintenant pris comme bouc émissaire pour tous les torts de sa nation. Ce fut un désappointement pour Pizarre qui espérait abriter ses actes à venir sous cette ombre de royauté. Quand le général eut opéré sa jonction avec Almagro, leurs forces réunies entrèrent bientôt dans la vallée de Xaquixaguama, à cinq lieues environ de Cuzco. Pizarre s'arrêta plusieurs jours dans cette vallée, faisant profiter ses troupes des magasins bien approvisionnés des Incas. Son premier acte fut de mettre en jugement Challcuchima, si l'on peut appeler jugement un procès où la sentence voisinait avec l'accusation. Il fut condamné à être brûlé vif sur place. Le père Valverde accompagna le chef péruvien au bûcher : il semble avoir toujours été présent en ces tristes moments, avide d'en profiter pour convertir si possible les victimes. Le chef indien répondit froidement qu'il ne comprenait pas la religion des hommes blancs. Dans son supplice, il manifesta ce courage de l'Indien en qui la résistance à la souffrance triomphe de la persécution.

Bientôt après ce tragique événement, Pizarre fut surpris par la visite d'un noble péruvien qui vint accompagné d'une suite nombreuse et brillante. C'était le jeune prince Manco, frère de l'infortuné Huascar et légitime héritier de la couronne. Conduit devant le chef espagnol, il annonça ses prétentions au trône et réclama la protection des étrangers. Pizarre écouta sa requête avec une satisfaction singulière. Il vit, dans ce nouveau rejeton de l'arbre royal, un instrument plus utile à ses projets qu'il n'aurait pu en trouver dans la famille de Quito, pour laquelle les Péruviens n'avaient que peu de sympathie. Il reçut le jeune homme avec une grande cordialité et n'hésita pas à l'assurer qu'il avait été envoyé par son

maître, le souverain de Castille, pour défendre les droits
de Huascar à la couronne et punir l'usurpation de son
rival. Conduisant avec lui le prince indien, Pizarre
reprit alors sa marche.

Il était tard dans l'après-midi lorsque les conquérants
arrivèrent en vue de Cuzco. Pizarre résolut de différer
son entrée jusqu'au lendemain matin. On fit, cette
nuit-là, bonne garde dans le camp et les soldats dormirent
tout armés. Mais la nuit se passa sans qu'on fût inquiété
par l'ennemi. Le lendemain de bonne heure, le 15 novembre 1533, Pizarre se prépara à faire son entrée dans
la capitale du Pérou. Le général espagnol marcha
directement vers la grand-place. Elle était entourée
d'édifices peu élevés parmi lesquels se trouvaient
plusieurs palais des Incas. Ces édifices offraient des
logements pour les troupes. Toutefois, celles-ci, pendant
les premières semaines, restèrent sous leurs tentes
dressées sur la plaza, leurs chevaux attachés près d'elles,
prêtes à repousser toute insurrection des habitants. La
capitale des Incas, quoique inférieure à l'El Dorado qui
avait séduit leurs imaginations crédules, étonna les
Espagnols par la beauté de ses édifices, la longueur et la
régularité de ses rues, le bon ordre et l'air d'aisance,
et même de luxe, qui paraissaient dans sa nombreuse
population. Les beaux édifices — très nombreux —
étaient de pierre ou revêtus de pierre. Parmi les principaux se trouvaient les résidences royales. L'édifice le
plus important était la forteresse bâtie sur un roc solide,
qui s'élevait hardiment au-dessus de la cité. Elle était
construite en pierres de taille et si délicatement travaillées
qu'il était impossible de découvrir les joints des blocs.
Ses approches étaient défendues par trois parapets
demi-circulaires, formés de masses de rochers si énormes
qu'ils ressemblaient à ce genre de constructions connues
des architectes sous le nom de cyclopéennes. Le plus
somptueux édifice de Cuzco, au temps des Incas, était
sans aucun doute le grand temple dédié au Soleil.
Incrusté de plaques d'or, il était entouré de couvents et

de dortoirs destinés aux prêtres, avec des jardins et de larges parterres étincelants d'or.

Pizarre, en entrant à Cuzco, avait publié un ordre du jour défendant aux soldats de violer le domicile des habitants. Mais les palais étaient nombreux et les troupes s'empressèrent de piller ce qu'ils renfermaient; ils firent de même pour les édifices religieux. Les décorations intérieures leur donnèrent un butin considérable. Ils enlevèrent les bijoux et les riches ornements qui paraient les momies royales. Dans une caverne proche de la ville, ils trouvèrent un certain nombre de vases en or pur, richement ornés de figures représentant des serpents, des sauterelles et d'autres animaux. Dans le butin figuraient quatre lamas en or et dix ou douze statues de femmes, quelques-unes en or, d'autres en argent. Cependant, la valeur des trésors de la capitale n'égalait pas les espérances chimériques qu'avaient conçues les Espagnols. Mais la différence fut comblée par le butin qu'ils avaient ramassé en différents lieux au cours de leur venue.

Tous les trésors furent portés à une masse commune, comme à Caxamalca. Après qu'on en eut retranché quelques-uns des plus beaux spécimens pour la couronne, le reste fut livré aux orfèvres indiens pour être fondu en lingots d'un titre uniforme. Le partage du butin se fit d'après le même principe que la première fois. Pedro Pizarre déclara que chaque cavalier recevrait six mille pesos de oro, et chaque soldat d'infanterie la moitié de cette somme; cependant, Pizarre fit les mêmes distinctions que la première fois quant au rang des parties prenantes et à leurs services relatifs. L'effet d'une telle surabondance de métaux précieux eut aussitôt pour conséquence qu'on ne pouvait acquérir les objets les plus ordinaires qu'au prix de sommes énormes. Chaque article augmentait de prix à mesure que l'or et l'argent, signes représentatifs de toutes les valeurs, s'avilissaient : l'or et l'argent semblaient les seules choses à Cuzco qui ne fussent point une richesse.

Le premier soin du général espagnol, après le partage du butin, fut de placer Manco sur le trône et de le faire reconnaître comme souverain par ses compatriotes. En conséquence, il leur présenta le jeune prince comme leur futur empereur, le fils légitime de Huayna Capac et le véritable héritier du sceptre péruvien. La proclamation fut reçue avec enthousiasme par le peuple attaché à la mémoire de son illustre père et satisfait encore d'être gouverné par un monarque de la ligne antique de Cuzco. On fit tout ce qu'on pouvait pour entretenir l'illusion de la population indienne. Les cérémonies du couronnement furent soigneusement observées. Le peuple accepta avec empressement cette illusion et sembla disposé à adopter cette image de son ancienne indépendance. L'avènement du jeune monarque fut célébré par les fêtes et les réjouissances habituelles. Les momies de ses royaux ancêtres furent exposées sur la grand-place avec les ornements qui leur restaient encore. Les danses succédèrent au festin et les fêtes, se prolongeant jusqu'à une heure avancée, continuèrent, nuit après nuit, dans cette population insouciante, comme si ses vainqueurs n'eussent pas été retranchés dans la capitale!

Pizarre s'occupa ensuite d'organiser à Cuzco une administration municipale semblable à celle des villes de son pays. On désigna deux alcades et huit regidores. Parmi ces derniers fonctionnaires, se trouvaient ses frères Gonzalo et Juan. Les serments officiels furent prêtés avec beaucoup de solennité le 24 mars 1534, en présence des Espagnols et des Péruviens, sur la place publique. Pizarre, qui jusque-là avait été désigné sous son titre militaire de « capitaine général », prit celui de « gouverneur ». Tous deux lui avaient été conférés par concession royale. Il ne négligea pas non plus les intérêts de la religion. Le père Valverde, dont la nomination à l'évêché de Cuzco reçut peu de temps après la sanction papale, se prépara à remplir les devoirs de sa charge. On choisit, pour bâtir la cathédrale de son diocèse, un lieu faisant face à la Plaza. Un vaste monastère s'éleva sur les ruines de la superbe demeure du Soleil. Des églises chrétiennes et des monastères remplacèrent les anciens édifices. Ceux qu'on laissa subsister furent. dépouillés de leurs ornements païens et placés sous la protection de la Croix.

Les pères de Saint-Dominique, les frères de la Merci et d'autres missionnaires se préoccupèrent alors des conversions. Chaque vaisseau amenait un renfort d'ecclésiastiques. Plusieurs étaient des hommes d'une grande humanité singulière, qui suivaient la trace du conquérant pour répandre les semences de la vérité spirituelle, se dévouant avec un zèle désintéressé à la propagation de l'Évangile. Les missionnaires espagnols ont montré, du début à la fin de la conquête, un vif intérêt pour le salut spirituel des indigènes. Sous leurs auspices, des églises magnifiques ont été bâties, des écoles pour l'instruction primaire fondées et toutes mesures raisonnables prises pour étendre la connaissance de la vérité religieuse, dans la mesure où ils étendaient leur mission à des régions éloignées et presque inaccessibles et rassemblaient leurs disciples indiens en communautés.

CHAPITRE 2

L'insurrection générale

Tandis que Pizarre, le gouverneur comme nous l'appellerons désormais, était à Cuzco, on l'informa avec insistance qu'une force considérable se trouvait dans le voisinage, sous le commandement de Quizquiz, officier d'Atahuallpa. En conséquence, il détacha Almagro avec un petit corps de cavalerie et une troupe considérable d'Indiens commandés par l'Inca Manco, pour disperser l'ennemi et s'emparer de leur chef. Manco était d'autant plus disposé à prendre part à l'expédition que les ennemis étaient des soldats de Quito qui, ainsi que leur commandant, n'étaient pas bien disposés à son égard.

Almagro, avec la rapidité qui le caractérisait, ne tarda pas à atteindre le chef indien. Il y eut plusieurs combats assez vifs. Enfin, l'armée de Quito se replia vers Xauxa. Un engagement général près de cette ville termina cette guerre par la déroute complète des indigènes. Quizquiz s'enfuit vers les plaines élevées de Quito où il résista encore un certain temps avec courage à un corps espagnol. Ses soldats, fatigués de ces inutiles hostilités, massacrèrent finalement de sang-froid leur général. Ainsi mourut le dernier des deux grands officiers d'Atahuallpa.

Quelque temps auparavant, le gouverneur espagnol avait reçu, pendant son séjour à Cuzco, la nouvelle d'un événement plus alarmant pour lui que toutes les hostilités indiennes : l'arrivée sur la côte d'une force espagnole sous le commandement de don Pedro de Alvarado, le vaillant officier qui avait servi sous Cortez avec tant de gloire dans la guerre du Mexique. Cet officier, après avoir contracté en Espagne une brillante alliance, avait été alléché par les magnifiques récits qu'il recevait journellement des conquêtes de Pizarre. Il apprit que ces conquêtes se bornaient au Pérou, mais que le royaume septentrional de Quito, l'ancienne résidence d'Atahuallpa et sans doute le dépôt principal de ses trésors, restait intact. Feignant de considérer ce pays comme en dehors de la juridiction du gouverneur, il dirigea immédiatement une flotte considérable, qu'il avait destinée aux îles des Épices, du côté de l'Amérique du Sud et, au mois de mars 1534, il débarqua dans la baie de Coraques avec cinq cents hommes, dont la moitié constituée par de la cavalerie, et tous bien pourvus en armes et munitions. C'était l'armée la mieux équipée et la plus formidable qui eût jamais paru dans les mers du Sud.

Quoique ce fût une invasion évidente du territoire concédé à Pizarre par la couronne, l'insouciant chevalier résolut de marcher aussitôt sur Quito. Guidé par un Indien, il comptait suivre la route directe des montagnes — passage extrêmement difficile, même dans la saison la plus favorable. Après le passage du rio Dable, son guide l'abandonna, de sorte qu'il s'égara bientôt dans les labyrinthes compliqués de la sierra. Le froid devenant plus intense, les hommes étaient si engourdis qu'ils n'avançaient qu'avec beaucoup de difficulté. L'infanterie, grâce aux efforts qu'elle accomplissait, se comportait mieux. Mais plusieurs cavaliers furent gelés sur leurs selle. Les Indiens, encore plus sensibles au froid, périssaient par centaines. La lumière du matin, éclairant froidement ces tristes solitudes, n'apportait aucune joie aux conquérants. Elle ne faisait que leur montrer plus clairement l'étendue de leur misère. Leur chemin était tristement jalonné par des lambeaux de vêtements, des armures brisées, des ornements d'or et d'autres richesses pillées dans la marche, par des cadavres ou des malades qu'on abandonnait dans ces déserts.

Alvarado, désirant vivement s'assurer le butin qui était tombé entre ses mains au commencement de sa marche, encourageait chacun à prendre tout l'or qu'il voudrait dans la masse commune, ne réservant que le cinquième royal. On lui répondait avec une horrible dérision « qu'il n'y avait d'or que ce qui se mangeait ». Toutefois, dans cette extrémité, on cite quelques exemples touchants de dévouement. Des soldats moururent en secourant leurs camarades. Pour ajouter à leurs maux, l'air fut rempli pendant plusieurs jours de poussière et de cendres qui aveuglaient les hommes et rendaient la respiration très difficile. Ce phénomène fut causé très probablement par l'éruption du Cotopaxi, le plus terrible volcan de l'Amérique. Les compagnons d'Alvarado, ignorant la cause du phénomène, égarés dans des chemins ensevelis sous la neige, étrange à leurs yeux, enveloppés d'une atmosphère chargée de cendres, s'épouvantèrent de cette confusion des éléments que la nature semblait avoir préparée pour les faire périr.

Enfin, après des souffrances que les plus courageux d'entre eux n'auraient pu endurer plus longtemps, Alvarado sortit des neiges de ces défilés et arriva sur le plateau, élevé de plus de neuf mille pieds au-dessus de l'Océan, dans le voisinage de Riobamba. Après s'être arrêté quelque temps pour laisser reposer ses troupes épuisées, il reprit sa marche à travers le vaste plateau, surpris de voir sur le sol des empreintes de pieds de chevaux. Les Espagnols étaient donc venus là avant lui. Après toutes ses fatigues et ses souffrances, d'autres l'avaient précédé dans l'entreprise contre Quito.

Lorsque Pizarre avait quitté Caxamalca, comprenant l'importance croissante de San Miguel, le seul port par où l'on pût alors pénétrer dans le pays, il avait envoyé un homme en qui il avait grande confiance pour en prendre le commandement. Cet homme était Sébastien Benalcazar. A peine arrivé dans son gouvernement, il avait, comme Alvarado, reçu de tels rapports sur la richesse de Quito qu'il s'était déterminé, sans ordres, à en tenter la conquête avec les forces dont il disposait. A la tête de cent quarante soldats, cavaliers et fantassins et d'un corps nombreux d'auxiliaires indiens, il s'avança sur la large chaîne des Andes, à l'endroit où se déploie le plateau de Quito. Dans les plaines de Riobamba, il rencontra le général indien Ruminagui. Plusieurs engagements eurent lieu avec un succès incertain. La science pourtant l'emporta là où le courage était égal et Benalcazar, victorieux, planta l'étendard de Castille. Il nomma la ville San Francisco del Quito, en l'honneur de son général, François Pizarre.

Aussitôt que l'on eut appris, à Cuzco, l'expédition d'Alvarado, Almagro partit pour San Miguel avec une petite troupe, se proposant d'y prendre un renfort et de marcher contre les envahisseurs. Il fut très surpris, en arrivant dans cette ville, d'apprendre le départ du commandant. Doutant de la loyauté de ses motifs, Almagro, avec la bouillante ardeur d'un jeune homme quoiqu'il fût réellement affaibli par l'âge, n'hésita pas à suivre aussitôt Benalcazar à travers les montagnes. L'intrépide vétéran arriva en quelques semaines dans les plaines de Riobamba. Il eut, dans sa marche, plus d'une chaude rencontre avec les indigènes dont le courage et la persévérance formaient un contraste assez frappant avec l'apathie des Péruviens. Mais le feu n'était qu'assoupi dans le cœur du Péruvien. Son heure n'était pas encore venue.

A Riobamba, Almagro fut bientôt rejoint par le commandant de San Miguel qui désavoua, peut-être sincèrement, toute intention déloyale dans l'expédition non autorisée qu'il avait entreprise. Ainsi renforcé, le capitaine espagnol attendit tranquillement l'arrivée d'Alvarado. On entama des négociations dans lesquelles chaque partie exposa ses prétentions sur le pays. Pendant ce temps, les soldats d'Alvarado se mêlèrent librement à leurs compatriotes de l'armée rivale. Ceux-ci leur firent une peinture si magnifique de la richesse et des merveilles de Cuzco que plusieurs d'entre eux furent tentés de quitter leur service actuel pour celui de Pizarre. Ils n'eurent pas de peine à se mettre d'accord. Il fut convenu, comme base de l'arrangement, que le gouverneur paierait cent mille pesos de oro à Alvarado et que ce dernier, de son côté, lui remettrait sa flotte, ses troupes et toutes ses provisions et munitions. Ses vaisseaux, grands et petits, étaient au nombre de douze et la somme qu'il reçut, bien que considérable, ne couvrait pas ses dépenses. Ce traité conclu, Alvarado demanda une entrevue à Pizarre avant de quitter le pays.

Le gouverneur avait quitté la capitale péruvienne pour se porter vers la côte, voulant repousser l'invasion qui pouvait être tentée dans cette direction par Alvarado, dont il ignorait encore les mouvements réels. Il laissa Cuzco à la garde de son frère Juan, chevalier dont les manières étaient propres, selon lui, à gagner le bon vouloir de la population indigène. Prenant avec lui l'Inca Manco, il s'avança jusqu'à Xauxa puis vers Pachacamac où il reçut la nouvelle de l'accord avec Alvarado. Peu après, celui-ci lui rendit lui-même visite avant de se rembarquer. L'entrevue se passa avec courtoisie et avec une bienveillance, au moins apparente, des deux côtés. Des fêtes joyeuses animèrent alors la cité de Pachacamac. Les murs retentirent du bruit des tournois et des joutes par lesquels les belliqueux aventuriers aimaient à se rappeler les jeux de leur terre natale. Ces fêtes terminées, Alvarado se rembarqua pour son gouvernement de Guatemala, où son esprit inquiet l'engagea bientôt dans d'autres entreprises qui abrégèrent sa carrière aventureuse. Son expédition au Pérou le caractérise complètement. Elle fut injuste, téméraire et se termina par un désastre.

La soumission du Pérou pouvait alors être considérée comme accomplie. Certes, quelques tribus barbares résistaient encore dans l'intérieur. Alonzo de Alvarado, officier prudent et habile, fut employé à les réduire. Benalcazar était toujours à Quito dont, plus tard, le roi le nomma gouverneur. Là, il enracina profondément la puissance espagnole en reculant la limite de la conquête vers le nord. Cuzco s'était soumise. Les armées d'Atahuallpa avaient été battues et dispersées. L'empire des Incas était dissous et le prince n'était plus qu'une ombre de roi qui tenait son autorité du vainqueur.

Le premier acte du gouvernement fut de déterminer l'emplacement de la future capitale de ce vaste empire colonial. Cuzco, perdue dans les montagnes, était beaucoup trop loin de la côte pour un peuple commerçant. Le petit établissement de San Miguel était trop au nord. Il valait mieux choisir une position plus centrale, facile à trouver dans des vallées fertiles qui bordent l'océan Pacifique. Telle était celle de Pachacamac que Pizarre occupait alors. Il préféra pourtant la vallée de Rimac, située au nord. Dans la vallée, coulait une large rivière d'où, comme d'une grande artère les indigènes avaient dérivé, selon leur usage, mille ruisseaux qui serpentaient à travers de belles prairies. Pizarre fixa sur cette rivière l'emplacement de sa nouvelle capitale, à un peu moins de deux lieues de l'embouchure qui, en s'élargissant, formait un havre commode pour le commerce. Le climat était délicieux. Il était si bien tempéré par les brises rafraîchissantes qui soufflent de l'océan Pacifique ou des pentes glacées des Cordillères, que la chaleur y était moins forte que sous les latitudes correspondantes du même continent. Il ne pleuvait jamais sur la côte. La sécheresse était corrigée par un nuage de vapeurs suspendu pendant l'été sur la vallée comme un rideau, la défendant contre les rayons d'un soleil tropical. On donna à la ville le nom de Ciudad de los Reyes ou ville des Rois, en l'honneur du jour de sa création : le 6 janvier 1535, fête de l'Épiphanie. Mais le nom castillan cessa d'être employé dès la première génération et fut remplacé par celui de Lima.

Le gouverneur n'eut pas plus tôt décidé l'emplacement et le plan de la ville qu'il commença ses opérations avec l'énergie qui le caractérisait. On fit venir les Indiens d'une distance de plus de cent lieues pour aider aux travaux. Les Espagnols se mirent vigoureusement à l'œuvre sous les yeux de leur chef. Ils quittèrent l'épée pour l'outil de l'ouvrier. Aux bruits de la guerre succéda le bourdonnement pacifique d'une population occupée. La plaza, qui était vaste, devait être entourée par la cathédrale, le palais du vice-roi, celui de la municipalité et d'autres édifices publics. Les fondations furent assurées avec une grandeur et une solidité qui a défié les assauts du temps et aussi les secousses redoutables des tremblements de terre qui, à différentes époques, ont détruit des quartiers entiers de cette belle capitale.

Pendant ce temps, Almagro — le « maréchal » comme le nomment ordinairement les chroniqueurs de l'époque — était allé à Cuzco sur les instructions de Pizarre pour prendre le commandement de cette capitale. Il devait aussi entreprendre, soit par lui-même, soit par ses capitaines, la conquête des contrées méridionales faisant partie du Chili. Almagro, depuis son arrivée à Caxamalca, avait paru vouloir faire taire ses ressentiments contre son associé, ou du moins en dissimuler l'expression. Cependant, il ne négligea pas d'envoyer un agent confidentiel pour faire état de ses propres services lorsque Fernand Pizarre partit en mission dans la mère-patrie. Celui-ci, après avoir touché à Saint-Domingue, parvint à Séville, en janvier 1534. Outre le cinquième royal, il apportait en or un demi-million de pesos, et une grande quantité d'argent appartenant à quelques aventuriers, dont quelques-uns, satisfaits de leurs gains, étaient revenus en Espagne sur le même vaisseau.

Fernand fut admis aussitôt en présence du roi et obtint une audience. Il raconta sur un ton respectueux les aventures de son frère et de sa petite troupe, les fatigues qu'ils avaient endurées, les difficultés qu'ils avaient surmontées, la capture de l'Inca péruvien et sa magnifique rançon. Il s'étendit sur la fertilité du sol et sur la civilisation du peuple. Il étalait comme preuve les ouvrages en laine et en coton et les riches ornements d'or et d'argent. Les yeux du monarque étincelèrent de plaisir à la vue de ces derniers. Il écouta la description que faisait Pizarre des richesses minérales du pays avec plus de satisfaction, car ses projets ambitieux avaient épuisé le trésor impérial et il vit, dans ces flots d'or inattendus, le moyen immédiat de le remplir.

Charles Quint ne fit donc aucune difficulté pour accéder aux demandes de l'heureux aventurier. Toutes les concessions faites jusque-là à Pizarre et à ses associés furent pleinement confirmées. Les limites de la juridiction du gouverneur furent étendues à soixante-dix lieues plus au sud. Les services d'Almagro, cette fois, ne furent pas oubliés. On lui accorda le droit de découverte et de possession du pays jusqu'à deux cents lieues à partir de la limite méridionale du territoire de Pizarre.

Charles Quint, pour plus grande preuve de satisfaction, adressa aux deux commandants une lettre dans laquelle il les complimentait de leur bravoure et les remerciait de leurs services. Cet acte de justice envers Almagro aurait été très honorable pour Fernand Pizarre, compte tenu des relations peu amicales qu'ils avaient ensemble, s'il n'eût pas été rendu obligatoire par la présence à la cour des agents du maréchal qui, comme on l'a dit, se tenaient prêts à suppléer aux défaillances du récit de l'envoyé.

Fernand Pizarre, on s'en doute, ne se retira pas sans récompense. Il fut d'abord logé comme un gentilhomme de cour; il fut fait chevalier de Santiago, le plus estimé des ordres de chevalerie en Espagne; on lui donna le pouvoir d'armer des navires et d'en prendre le commandement, et les officiers royaux à Séville furent requis de l'aider dans ses projets et de faciliter son embarquement pour les Indes. L'arrivée de Fernand Pizarre et les rapports faits par lui et ses compagnons produisirent sur les Espagnols une impression telle qu'on n'en avait pas connue depuis le premier voyage de Colomb. Les magnifiques promesses présentées par François Pizarre à son dernier voyage en Espagne n'avaient pas ranimé la confiance de ses compatriotes. Mais ces promesses s'étaient réalisées. Ce n'était plus à des récits qu'il fallait croire, mais à l'or lui-même, étalé avec profusion. Tous les yeux se tournaient maintenant vers l'ouest. Fernand Pizarre vit que son frère avait été bien inspiré en permettant à tant d'hommes de sa petite armée de retourner dans leurs foyers, sûr que la vue de leurs richesses en attirerait dix sous sa bannière pour un seul qui le quitterait.

En peu de temps, il se vit à la tête d'un des armements les plus nombreux et probablement les mieux équipés qui eussent quitté les côtes d'Espagne. A peine Fernand fut-il en mer qu'une violente tempête fondit sur l'escadre et le força de rentrer au port pour effectuer des réparations. Enfin, il traversa l'océan et arriva au petit port de Nombre de Dios. Mais aucun préparatif n'avait été fait pour son arrivée et, retenu ainsi quelque temps avant de pouvoir franchir les montagnes, ses gens souffrirent beaucoup de la rareté des vivres. La maladie suivit de près la disette. Un grand nombre de malheureux aventuriers moururent au seuil même du pays qu'ils allaient découvrir. Certains, découragés, ruinés, retournèrent au pays natal, tandis que d'autres restaient où ils étaient et succombaient dans le désespoir. Cependant, il n'en fut pas ainsi de tous les compagnons de Fernand Pizarre. Plusieurs, traversant l'isthme avec lui pour passer à Panama, parvinrent au Pérou. Quelques-uns y obtinrent des postes éminents et lucratifs. Parmi ceux qui attei-

gnirent les premiers la côte du Pérou figurait un émissaire
envoyé par les agents d'Almagro pour l'informer de
l'importante concession qui lui avait été attribuée par
la Couronne. La nouvelle lui parvint alors qu'il faisait
son entrée à Cuzco, où il fut reçu avec respect par Juan
et Gonzalo Pizarre. Pour obéir aux ordres de leur frère,
ces derniers remirent aussitôt le gouvernement de la
capitale entre les mains du maréchal. Almagro fut extrêmement fier de se trouver revêtu par son souverain d'un
commandement qui le rendait indépendant d'un homme
qui l'avait si profondément blessé. Il déclara alors que,
dans l'exercice de son autorité, il ne se reconnaissait plus
de supérieur. Il fut confirmé dans cette disposition
hautaine par plusieurs de ses compagnons qui prétendaient que Cuzco était au sud du territoire concédé à
Pizarre et, par conséquent, faisait partie de celui accordé
au maréchal.

Tandis que cela se passait dans l'ancienne capitale du
Pérou, le gouverneur était toujours à Lima, où il fut
quelque peu troublé en apprenant les nouveaux honneurs
conférés à son associé. Il ignorait que sa juridiction à lui
avait été étendue à soixante-dix lieues plus au sud et il
pouvait supposer, comme Almagro, que la capitale des
Incas ne se trouvait pas comprise légalement dans son
territoire actuel. Il vit tout le dommage qu'il éprouverait
si cette ville tombait entre les mains de son rival. Il
sentit qu'il n'était pas prudent de laisser Almagro
s'emparer d'avance d'un pouvoir sur lequel il n'avait
encore aucun droit légitime, car les dépêches renfermant
le brevet étaient encore avec Fernand Pizarre à Panama
et il n'était arrivé au Pérou qu'une copie d'ailleurs
tronquée. Il fit donc ordonner à ses frères de reprendre
le gouvernement de Cuzco, en motivant cette mesure
auprès d'Almagro par le fait qu'il ne serait pas convenable, lorsqu'il recevrait ses lettres de créance, d'être
trouvé déjà en possession de son poste. Ni le maréchal,
ni ses amis, ne pouvaient consentir à déposer si tôt une
autorité qu'ils regardaient maintenant comme leur droit.

Les Pizarre, de leur côté, persistaient à la réclamer. La dispute s'échauffait. Chaque parti avait ses adhérents. La ville était divisée en factions, la municipalité, les soldats et même la population indienne prirent parti dans la querelle. On allait en venir à des violences qui menaçaient d'ensanglanter la capitale lorsque Pizarre lui-même parut.

En apprenant les fatales conséquences de ses ordres, Pizarre s'était hâté d'accourir à Cuzco. Il fut accueilli avec une joie évidente par les indigènes et par les Espagnols modérés, désireux de détourner l'orage. La première personne qu'il vit fut Almagro, qu'il embrassa avec une cordialité apparente. Sans montrer aucun ressentiment, il s'enquit de la cause des troubles. Le maréchal répondit en jetant le blâme sur les frères de Pizarre. Le gouverneur leur reprocha sévèrement leur violence, mais il fut bientôt évident que toutes ses sympathies étaient de leur côté et le danger d'une dissension entre les deux associés sembla alors plus grand qu'auparavant. Elle fut heureusement ajournée par l'intervention de quelques amis communs qui montrèrent plus de prudence que leurs chefs. Une réconciliation fut opérée sur les bases de l'ancien pacte. Il fut convenu que l'amitié demeurerait inviolable et, par une clause qui ne fait guère honneur aux deux parties, on décida qu'aucun des deux n'accuserait ni ne dénigrerait l'autre, particulièrement dans les dépêches à l'Empereur, ni ne communiquerait avec le gouvernement métropolitain à l'insu de l'autre; enfin que les dépenses et les profits des futures découvertes seraient partagés également entre les associés. Le procès-verbal entier et les articles de la convention furent soigneusement enregistrés par le notaire dans un acte du 12 juin 1535 et attestés par une longue liste de témoins.

Peu de temps après cet arrangement, le maréchal annonça l'expédition du Chili. Un grand nombre d'hommes, gagnés par ses manières populaires et ses largesses, ou plutôt par ses prodigalités, participèrent avec empressement à l'entreprise qu'ils s'imaginaient naïvement devoir les conduire à des richesses plus grandes encore que celles qu'ils avaient trouvées au Pérou. Un détachement de cent cinquante hommes, aux ordres d'un officier nommé Saavedra, les suivit de près. Almagro resta en arrière pour rassembler de nouvelles recrues. Mais avant d'avoir complété ses effectifs, il se mit en marche, ne se trouvant pas en sûreté, vu la diminution de ses forces, dans le voisinage de Pizarre.

Ainsi soulagé de la présence de son rival, le gouverneur retourna sans plus de délai vers la côte où il reprit l'organisation du pays. Outre la ville principale, il en fonda d'autres le long du Pacifique, destinées à devenir des marchés florissants pour le commerce. Il nomma la plus importante Truxillo, en l'honneur du lieu de sa naissance. Il fit de nombreux repartimientos de terres et d'Indiens parmi ses compagnons, à la manière habituelle des conquérants espagnols. Mais rien ne réclamait autant les soins de Pizarre que la métropole naissante de Lima. Il pressa si vivement les travaux qu'il eut la satisfaction de voir sa jeune capitale, avec ses édifices imposants et ses magnifiques jardins, grandir et s'achever rapidement. On aime à remarquer quelques traits plus doux dans le caractère de ce farouche soldat, ainsi occupé à réparer les ravages de la guerre et à jeter les fondements d'un empire plus civilisé que celui qu'il avait renversé. Aucune partie de sa carrière ne sourit davantage aux yeux de la postérité. Au milieu des malheurs et de la désolation que Pizarre et ses compagnons apportèrent dans la malheureuse patrie des Incas, Lima, la belle cité des Rois, survit encore comme l'œuvre la plus glorieuse de sa création, la plus splendide perle des rivages du Pacifique.

Tandis que l'absence d'Almagro délivrait Pizarre de toute inquiétude immédiate, son autorité était menacée du côté qu'il croyait le moins dangereux, c'est-à-dire par la population indigène du pays. Jusque-là, les Péruviens s'étaient montrés doux et soumis, ils avaient acquiescé

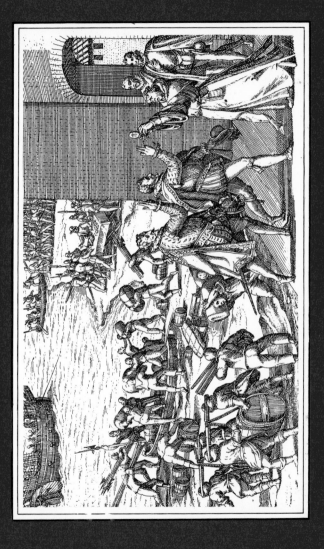

« L'amitié demeurerait inviolable
entre Pizarre et Almagro... » (p. 127).

passivement à l'usurpation des envahisseurs, ils avaient vu un monarque assassiné, un autre placé sur le trône vacant, leurs temples dépouillés et leur pays conquis et partagé par les Espagnols. A l'exception d'escarmouches accidentelles dans les passes des montagnes, ils n'avaient pas donné un coup pour défendre leurs droits. Pizarre avait frappé terriblement les esprits en se saisissant d'Atahuallpa et il semblait compter sur ce souvenir pour entretenir la peur parmi les indigènes. Il affectait même quelque respect pour les institutions du pays, mais ce n'était qu'une apparence. Le royaume avait subi une révolution du genre le plus décisif. Ses anciennes institutions étaient détruites. Son aristocratie était rabaissée au niveau du paysan. Le peuple était devenu le serf des conquérants. Les maisons de la capitale furent saisies et le vainqueur se les appropria. Les temples furent changés en écuries, les résidences royales en casernes pour les troupes. Des milliers de matrones et de vierges qui vivaient chastement recluses dans des établissements religieux, en furent alors chassées et devinrent la proie d'une soldatesque licencieuse. Une épouse favorite du jeune Inca fut débauchée par les officiers castillans. L'Inca lui-même, traité avec une indifférence méprisante, comprit qu'il n'était qu'un misérable esclave, sinon un instrument, dans les mains de ses vainqueurs.

L'Inca Manco était un homme d'un esprit élevé et d'un cœur ardent. Piqué au vif par les humiliations auxquelles il était exposé, il pressa Pizarre à plusieurs reprises de lui rendre l'exercice réel du pouvoir. Pizarre éluda une requête si incompatible avec ses projets ambitieux ou même avec la politique de l'Espagne, et on laissa le jeune Inca et sa noblesse méditer en secret sur les injures subies et attendre patiemment l'heure de la vengeance.

Les dissensions des Espagnols semblèrent présenter une occasion favorable. Les chefs indiens tinrent plusieurs conférences sur ce sujet et projetèrent un soulèvement général. Dans cette perspective, le grand-prêtre fut choisi par l'Inca pour accompagner Almagro dans sa

marche, afin qu'il s'assure la coopération des indigènes
du pays et revienne ensuite secrètement — ce qu'il fit —
prendre part à l'insurrection. Pour mettre ce plan à
exécution, il devenait nécessaire que l'Inca Manco quittât
la ville et se présentât à son peuple. Il n'éprouva aucune
difficulté à sortir de Cuzco où sa présence était à peine
remarquée des Espagnols. Mais un groupe d'Indiens
ralliés aux Espagnols, attentifs à ses mouvements,
signalèrent promptement son absence à Juan Pizarre.
Celui-ci, à la tête d'un petit corps de cavalerie, se mit
aussitôt à la poursuite du fugitif qu'il découvrit dans un
fourré de roseaux, à peu de distance de la capitale.
Manco fut arrêté, ramené prisonnier à Cuzco et placé
sous bonne garde dans la forteresse. La conspiration
semblait avortée.

Cependant, Fernand Pizarre, revenu à Ciudad de
los Reyes, rapportait la commission royale qui étendait
les pouvoirs de son frère et définissait ceux concédés
à Almagro. L'envoyé apportait aussi les patentes royales
conférant à François Pizarre le titre de marquis de
los Atavillos, province du Pérou. Le nouveau marquis
résolut de ne pas envoyer pour le moment la commission
au maréchal, qu'il voulait engager plus avant dans la
conquête du Chili, afin que son attention fût détournée
de Cuzco. Il envoya Fernand prendre en personne le
gouvernement de la capitale car, malgré sa conduite
arrogante envers ses compatriotes, celui-ci avait toujours
montré une sympathie assez rare pour les Indiens. Il avait
été l'ami d'Atahuallpa. Il témoigna la même disposition
bienveillante pour son successeur Manco. Il fit libérer
le prince péruvien et l'admit graduellement dans une
sorte d'intimité. Le rusé Péruvien profita de sa liberté
pour mûrir ses plans d'insurrection, avec tant de précaution qu'aucun soupçon ne traversa l'esprit de Fernand.
Manco révéla à son vainqueur l'existence de plusieurs
trésors et les endroits où ils avaient été cachés. Quand
il eut ainsi gagné sa confiance, il stimula encore davantage sa cupidité par la description d'une statue en or pur

de son père Huayna Capac, qu'il demanda la permission de rapporter d'une caverne secrète des Andes voisines où elle était déposée. Fernand, aveuglé par son avarice, consentit au départ de l'Inca.

Une semaine se passa; l'Inca ne revenait pas et l'on ne put en obtenir aucune nouvelle. Fernand comprit alors son erreur, ses soupçons étant confirmés par les rapports défavorables des Indiens alliés. Sans plus attendre, il expédia son frère Juan et soixante cavaliers à la poursuite du prince péruvien. Juan, avec sa troupe bien armée, traversa rapidement les environs de Cuzco sans découvrir aucune trace du fugitif. Il trouva le pays remarquablement silencieux et désert, jusqu'aux approches de la chaîne montagneuse qui entoure la vallée du Yucay, à six lieues environ de la ville. Là, il rencontra les deux Espagnols qui avaient accompagné Manco. Ils apprirent à Pizarre que ce n'était que par la force qu'il pourrait reprendre l'Inca. Le pays tout entier était en armes. Le chef péruvien, à la tête des insurgés, se préparait à marcher sur la capitale. Toutefois, ils n'avaient souffert d'aucune violence et l'Inca leur avait permis de s'en retourner.

Le capitaine espagnol, lorsqu'il arriva à la rivière Yucay, vit les bataillons indiens rassemblés sur la rive opposée, au nombre de plusieurs milliers d'hommes, ayant à leur tête leur jeune monarque et se préparant à lui disputer le passage. Les Espagnols ne s'arrêtèrent pas pour autant. La rivière, quoique profonde, était étroite. Ils s'y jetèrent hardiment et firent passer leurs chevaux à la nage au milieu d'une pluie de pierres et de flèches qui tintaient comme la grêle sur les armures, en trouvant parfois quelque point vulnérable. Mais les blessures ne faisaient que les exciter. Les barbares reculèrent lorsque les Espagnols eurent réussi à prendre pied, mais revinrent peu après avec un courage qu'ils avaient rarement montré jusque-là et les enveloppèrent de tous côtés avec des forces très supérieures Le combat fut terrible. La petite troupe des cavaliers, ébranlée par la furie de l'attaque des Indiens, fut d'abord désorganisée puis, se reformant en colonne, elle chargea hardiment au plus épais des ennemis. Ceux-ci se dispersèrent ou furent foulés sous les pieds des chevaux. Le soir arriva avant qu'ils eussent entièrement quitté la plaine. Juan Pizarre et sa petite troupe campèrent dans la plaine au pied des montagnes. Ils avaient remporté la victoire malgré la supériorité numérique de leurs ennemis. Mais cette victoire leur coûtait la vie de plusieurs hommes, tandis que beaucoup d'autres étaient blessés et presque mis hors de combat par les fatigues de la journée. Juan escomptait pourtant que la leçon sévère donnée à l'ennemi anéantirait son esprit de résistance. Il se trompait.

Le lendemain matin, il vit les passages des montagnes remplis de sombres lignes de guerriers, aussi loin que l'œil pouvait pénétrer dans les profondeurs de la Sierra. Des masses d'ennemis étaient rassemblées le long des pentes et des sommets, prêtes à fondre sur les assaillants. Le terrain, défavorable aux manœuvres de la cavalerie, donnait l'avantage aux Péruviens qui faisaient rouler des rocs énormes sur la tête des Espagnols. Juan Pizarre ne voulut pas s'engager davantage dans ce dangereux défilé. Après avoir encore perdu un jour ou deux en hostilités infructueuses, il reçut un appel de son frère qui le pressait de retourner en toute hâte à Cuzco alors assiégée par l'ennemi. Il commença immédiatement sa retraite, traversa de nouveau la vallée qui venait d'être un théâtre de carnage, passa la rivière Yucay. Il arriva avant la tombée de la nuit en vue de la capitale.

Le spectacle qui s'offrit à ses yeux était très différent de celui qu'il avait quitté quelques jours auparavant. Tous les environs étaient occupés par une puissante armée que l'on pouvait estimer à environ deux cent mille guerriers. Les bataillons indiens s'étendaient jusqu'à la limite des montagnes. A l'entour, l'œil n'apercevait que les aigrettes et les bannières flottantes des chefs. C'était la première fois que les Espagnols voyaient une armée

indienne dans cet appareil formidable, une armée telle
que les Incas en conduisaient à la guerre lorsque la
bannière du Soleil parcourait triomphalement le pays.
Les hardis cavaliers, s'ils furent d'abord troublés à cette
vue, reprirent bientôt courage, serrèrent les rangs et
s'apprêtèrent à se frayer un chemin à travers leurs
assiégeants. Mais l'ennemi parut éviter le combat et,
s'écartant à leur approche, les laissa entrer librement
dans la capitale.

Fernand Pizarre accueillit son frère avec joie car il
renforçait notablement ses effectifs, qui ne dépassaient
pas alors deux cents hommes en tout, cavaliers et
fantassins. La nuit se passa, pour les Espagnols, dans
des sentiments de profonde anxiété et dans l'appréhension naturelle de ce qui se passerait le lendemain.
Ce fut dans les premiers jours de 1536 que commença
le siège de Cuzco, siège mémorable qui provoqua le
déploiement héroïque de la valeur indienne et européenne
et mit les deux races aux prises avec un acharnement
que la conquête du Pérou n'avait pas encore connu.

Les Espagnols étaient campés sur la grand-place, en
partie sous des tentes et en partie dans le palais de l'Inca
Viracocha, sur l'emplacement occupé depuis par la
cathédrale. Trois fois, dans cette journée affreuse, le toit
du bâtiment prit feu. Heureusement, l'espace découvert
qui entourait la petite troupe de Fernand la séparait du
théâtre immédiat de l'incendie. Le feu continua tout
le jour d'exercer ses ravages qui, à la nuit, devinrent
même plus effrayants. Telle était l'étendue de la ville
que plusieurs jours se passèrent avant que la fureur de
l'incendie s'épuisât. Tours et temples, huttes et palais
s'abattirent. Tant que dura l'incendie, les Espagnols ne
firent aucune tentative pour éteindre les flammes. Leurs
efforts n'eussent servi à rien. Cependant, ils ne s'expo-
saient pas sans résistance aux attaques de l'ennemi et
sortaient de temps en temps pour le repousser. Les
Péruviens excellaient au maniement de l'arc et de la
fronde et ces rencontres, malgré la supériorité tactique

des Espagnols, coûtèrent à ces derniers plus d'hommes que leur situation critique ne leur permettait d'en sacrifier. Une arme particulière aux guerres de l'Amérique du Sud fut employée avec succès par les Péruviens. C'était le lasso, longue corde terminée par un nœud jeté adroitement sur le cavalier, dans laquelle ils enchevêtraient les pieds de son cheval, de manière à les faire tomber l'un et l'autre. Plus d'un Espagnol fut ainsi fait prisonnier.

Harassés, dormant tout armés, leurs chevaux attachés à côté d'eux, prêts à toute heure pour l'action, les Espagnols n'avaient de repos ni jour ni nuit. Leur détresse était encore aggravée par les bruits qui leur arrivaient continuellement de la tension dans la contrée. On disait que le soulèvement était général. Déprimés par ces difficultés, plusieurs étaient d'avis d'abandonner immédiatement la place comme n'étant plus tenable et de s'ouvrir un passage vers la côte avec leurs épées. Mais tous les chemins étaient coupés par un ennemi qui avait une connaissance parfaite du pays et qui occupait tous les passages. Toutefois, cet état de choses ne pouvait durer longtemps. L'Indien ne pouvait à la longue lutter contre le Blanc. L'esprit d'insurrection s'éteindrait de lui-même. Cette grande armée devait fondre. Des renforts arrivaient journellement des colonies et les Castillans seraient secourus par leurs compatriotes qui ne les laisseraient pas périr dans les montagnes comme des bannis. Les paroles encourageantes et l'air résolu des chevaliers, hostiles à une sortie désastreuse, allèrent au cœur de leurs compagnons. Tous consentirent à rester jusqu'au bout auprès de leurs chefs.

Il était nécessaire de déloger l'ennemi de la forteresse. Fernand Pizarre résolut de frapper un coup propre à intimider les assiégeants et à les empêcher de faire d'autres tentatives pour l'inquiéter dans ses quartiers. Il forma sa petite troupe en trois détachements et les plaça sous le commandement de son frère Gonzalo, de Gabriel de Rojas, officier en qui il avait toute confiance, et de Fernand Ponce de Péon. Des éclaireurs indiens furent envoyés en avant pour déblayer les décombres. Les trois détachements s'avancèrent simultanément par les principales avenues vers le camp des assiégeants. S'élançant impétueusement dans les lignes en désordre des Péruviens, ils les surprirent complètement. Après une lutte vaillante dans laquelle les indigènes se jetaient sans crainte sur les cavaliers, ils furent obligés de céder aux charges réitérées de ceux-ci. Enfin, rassasié de carnage et pensant que la punition infligée à l'ennemi le mettrait à l'abri de nouvelles attaques, le général ramena ses troupes dans la capitale.

Sa première entreprise fut de reconquérir la citadelle. C'était un projet risqué. La forteresse dominait la partie nord de la ville, sur une éminence de rochers si escarpés qu'elle était inaccessible de ce côté, où elle n'était défendue que par une simple muraille. L'accès en était plus facile du côté de la campagne. Là, elle était protégée par deux murailles semi-circulaires bâties en pierres massives, ou plutôt en rochers, superposés sans ciment, de manière à former une sorte de construction rustique. La forteresse se composait de trois fortes tours dont l'une très haute qui, avec une plus petite, était occupée actuellement par l'ennemi, sous le commandement d'un seigneur inca, guerrier d'une valeur éprouvée et prêt à la défendre jusqu'à la dernière extrémité.

Cette entreprise périlleuse fut confiée par Fernand Pizarre à son frère Juan. Comme on devait approcher de la forteresse par les passages des montagnes, il fallait détourner l'attention des ennemis. Un peu avant le coucher du soleil, Juan Pizarre quitta la ville avec un corps choisi de cavaliers et prit une direction opposée à celle de la forteresse, pour que l'armée assiégeante pût supposer que son but était d'aller au fourrage. Exécutant une contre-marche pendant la nuit, il trouva heureusement les passages sans défense et arriva devant la muraille extérieure de la forteresse sans avoir donné l'alarme à la garnison. Les nations indiennes, qui

attaquaient rarement pendant la nuit, ne connaissaient
pas assez l'art de la guerre pour se garantir contre les
surprises nocturnes en plaçant des sentinelles.

Les mouvements des Espagnols n'étaient pourtant pas
passés inaperçus et ils trouvèrent la cour intérieure de
la forteresse pleine de guerriers qui leur lancèrent une
grêle de traits et les forcèrent à s'arrêter. Juan Pizarre,
sentant qu'il n'y avait pas de temps à perdre, ordonna
à la moitié de ses hommes de mettre pied à terre et, se
mettant à leur tête, se prépara à ouvrir une brèche
dans les fortifications. Le parapet fut abandonné. Les
ennemis, s'enfuyant en désordre dans l'enceinte, se
réfugièrent sur une sorte de plate-forme ou de terrasse
commandée par la tour principale. Juan Pizarre, toujours
parmi les premiers s'élança sur la terrasse, encourageant
ses hommes de sa voix et de son exemple. En cet instant,
il fut frappé à la tête par une grosse pierre. L'intrépide
capitaine continua encore d'animer de la voix ses
compagnons jusqu'à ce que la terrasse fût prise et ses
malheureux défenseurs passés au fil de l'épée. Les
douleurs devinrent alors trop aiguës et il fut transporté
à la ville où, malgré les efforts qu'on fit pour le sauver,
il ne survécut qu'une quinzaine de jours et mourut dans
de grandes souffrances.

Quoique très affecté par la mort de son frère, Fernand
Pizarre vit qu'il n'y avait pas de temps à perdre s'il
voulait profiter des avantages obtenus jusque-là. Il se
mit à la tête des assaillants et poussa vigoureusement
le siège des tours. L'une d'elles se rendit après une courte
résistance. L'autre, la plus formidable des deux, tenait
encore sous le brave seigneur inca qui la commandait.
Fernand se prépara à emporter la place par escalade.
Des échelles furent dressées contre les murs mais,
aussitôt qu'un Espagnol arrivait au dernier échelon,
il était jeté en bas par le bras puissant d'un guerrier
indien. L'agilité du chef inca égalait sa force et il semblait
se trouver en chaque endroit au moment où sa présence
était nécessaire. Cette bravoure remplit d'admiration

le général espagnol. Il ordonna qu'on ne lui fît aucun mal, et qu'on tentât de le prendre vivant, ce qui n'était pas aisé. Finalement le chef inca, voyant que la résistance était inutile, s'élança sur les créneaux et, jetant sa massue loin de lui, s'enveloppa dans son manteau et se précipita au bas des remparts. Il mourut comme un ancien Romain, pour défendre la liberté de son pays, et dédaignant de survivre à la honte de celui-ci.

Mais les semaines passaient et aucun secours n'arrivait aux Espagnols assiégés, que la faim commençait à tenailler. Sans nouvelles de leurs compatriotes, leurs craintes redoublaient. L'insurrection avait vraiment affecté tout le pays, du moins dans la partie qu'occupaient les Espagnols. Elle avait été si bien concertée qu'elle éclata partout en même temps; les conquérants qui vivaient sur leurs propriétés, dans une sécurité insouciante, avaient été massacrés au nombre de plusieurs centaines. Une armée indienne était campée devant Xauxa et une autre armée importante avait occupé la vallée du Rimac et assiégeait Lima. Aussitôt que Pizarre se vit menacé, il envoya contre les Péruviens une troupe assez forte pour les mettre promptement en fuite. Poursuivant son avantage, il leur infligea une si terrible punition que, quoiqu'ils continuassent toujours à se montrer de loin et à couper ses communications avec l'intérieur, ils n'eurent plus envie de s'aventurer sur l'autre rive du Rimac.

Les nouvelles que le général espagnol reçut alors de la situation dans le pays lui inspirèrent les craintes les plus sérieuses. Il était particulièrement inquiet du sort de la garnison de Cuzco et il fit des efforts réitérés pour secourir cette capitale. Quatre détachements furent envoyés par lui à plusieurs reprises. Aucun n'atteignit le lieu de sa destination. Les indigènes les laissaient adroitement s'avancer dans l'intérieur du pays, jusqu'à ce qu'ils fussent complètement engagés dans les gorges des Cordillères. Ils les enveloppaient alors, et, supérieurs en nombre, faisaient pleuvoir leurs traits sur la tête des

Espagnols ou les écrasaient sous le poids des fragments de rochers qu'ils faisaient rouler sur eux du sommet des montagnes. En quelques occasions, le détachement tout entier fut taillé en pièces et périt jusqu'au dernier homme.

Pizarre était consterné. Il envoya un vaisseau à la colonie voisine de Truxillo, pressant les habitants d'évacuer la place avec armes et bagages pour le rejoindre à Lima. Heureusement, cette mesure ne fut pas adoptée. Plusieurs de ses hommes voulaient se servir des vaisseaux disponibles pour s'échapper immédiatement du pays et se réfugier à Panama. Pizarre ne voulut pas écouter un conseil aussi lâche, impliquant l'abandon des braves compagnons de l'intérieur. Il coupa court aux espérances de ces esprits timorés et fit appareiller tous les vaisseaux qui se trouvaient alors dans le port, avec différentes missions. Il fit parvenir ainsi aux gouverneurs de Panama, de Nicaragua, de Guatemala et du Mexique des lettres représentant le triste état de ses affaires et demandant leur appui. Sans aide, les Espagnols ne pourraient se maintenir plus longtemps au Pérou et ce grand empire serait perdu pour la couronne de Castille. Les secours si instamment sollicités arrivèrent à temps, non pour mettre un terme à l'insurrection indienne, mais pour aider Pizarre dans sa lutte.

On était au mois d'août. Plus de cinq mois s'étaient écoulés depuis le commencement du siège de Cuzco et les légions péruviennes campaient toujours autour de la ville. Mais les Péruviens eux-mêmes souffraient depuis quelque temps du manque de subsistance. La saison des semailles était arrivée. L'Inca savait bien que, si ses compagnons les négligeaient, ils seraient visités par un fléau, la famine, encore plus terrible que leurs envahisseurs. Ayant libéré la plus grande partie de ses soldats, il leur ordonna de retourner dans leurs foyers et, lorsque les travaux des champs seraient terminés, de revenir pour reprendre le blocus de la capitale. L'Inca garda un détachement considérable chargé de l'accompagner et il se retira à Tambo, place forte au sud de la vallée du Yucay. Il plaça aussi un détachement important dans les environs de Cuzco pour surveiller les mouvements de l'ennemi et empêcher l'arrivée des secours.

Les Espagnols virent avec joie se disperser la puissante armée qui avait si longtemps encerclé la ville. Ils ne tardèrent pas à profiter de cette circonstance et Fernand Pizarre, pendant cette retraite temporaire, se hâta d'envoyer des partis de fourrageurs battre le pays pour rapporter des provisions à ses soldats affamés. L'armée fut ainsi provisoirement délivrée de toute crainte de disette. Des escarmouches s'engageaient entre de faibles détachements et dégénéraient quelquefois en combats personnels. Le terrain des environs de Cuzco devint un champ de bataille, comme la vega de Grenade, où le chrétien et le païen déployaient leurs tactiques respectives.

Fernand Pizarre ne se contenta pas de se tenir sur la défensive. Il méditait un coup hardi qui devait mettre fin à la guerre. C'était la prise de l'Inca Manco, qu'il espérait surprendre dans ses quartiers à Tambo. Il arriva devant Tambo sans donner l'alarme à l'ennemi. La place était mieux fortifiée qu'il ne se l'était imaginé. Traversant la rivière sans beaucoup de difficulté, le commandant espagnol s'avança sans bruit sur le glacis en pente douce. Mais des milliers d'yeux étaient ouverts sur lui et, lorsque les Espagnols arrivèrent à portée d'arc, une multitude de figures sombres se levèrent soudain au-dessus du rempart. On vit l'Inca, la lance à la main, dirigeant les opérations de ses troupes. L'air fut obscurci par d'innombrables projectiles et les montagnes retentirent du sauvage cri de guerre de l'ennemi. Les Espagnols, surpris, plusieurs d'entre eux grièvement blessés, furent obligés de reculer, incapables de résister à l'impétuosité des assaillants. La vallée derrière eux était couverte par les eaux : les indigènes, en ouvrant les écluses, avaient détourné le lit de la rivière, de sorte que la position espagnole n'était plus tenable. Il fut décidé, après un conseil de guerre, qu'on abandonnerait l'attaque et qu'on se retirerait en aussi bon ordre que possible.

La journée s'était écoulée dans ces opérations inutiles. Fernand Pizarre, à la faveur des ténèbres, fit partir en avant son infanterie et ses bagages, prenant lui-même le commandement du centre et confiant l'arrière-garde à son frère Gonzalo. Ils réussirent à repasser la rivière sans dommage, bien que les ennemis, prenant confiance dans leurs forces, fussent sortis de leurs remparts et se fussent mis à la poursuite des Espagnols. Plus d'une fois, ils serrèrent de près les fugitifs, les obligeant à faire volte-face et à exécuter une de ces charges impétueuses qui calmaient leur audace et suspendaient la poursuite. Cependant, l'ennemi victorieux continua d'inquiéter les cavaliers jusqu'à ce qu'ils fussent sortis des passages des montagnes et arrivés en vue des murs de la capitale. Ce fut le dernier triomphe de l'Inca.

LIVRE
QUATRIEME

*Guerres civiles
entre les conquérants*

CHAPITRE 1

Pizarre contre Almagro

Le maréchal Almagro, pendant ce temps, était engagé dans sa mémorable expédition du Chili. Il commença par profiter de la grande route militaire des Incas. Mais, en s'approchant du Chili, le commandant espagnol s'engagea dans des défilés montagneux où l'on ne distinguait plus aucun vestige de chemin. Là, sa marche fut entravée par tous les obstacles qui tiennent à la nature sauvage des Cordillères, ravins profondément déchirés, étroits sentiers frayés sur leurs flancs par les lamas, serpentant à des hauteurs vertigineuses au-dessus des précipices, rivières se précipitant avec furie le long des pentes des montagnes. Le froid était si intense que certains en perdirent les ongles, les doigts et quelquefois les membres. A tous ces maux, comme d'ordinaire, se joignit la faim. Les malheureux Indiens, incapables, à cause de leurs vêtements légers, de soutenir la rigueur du climat, périssaient sur la route. La faim était si pressante que les survivants se nourrissaient des cadavres de leurs compatriotes et les Espagnols tiraient leur nourriture des cadavres de leurs chevaux, littéralement gelés dans les défilés de la montagne. Leur route était partout marquée par des hameaux brûlés et désolés dont les habitants étaient forcés de servir de bêtes de somme. On les enchaînait par bandes de dix ou douze. Aucune infirmité ou faiblesse de corps ne dispensait le malheureux captif du travail commun, jusqu'à ce que parfois il tombât mort sous le poids de ses chaînes, par le seul effet de l'épuisement.

Les compagnons d'Alvarado sont accusés d'avoir été plus cruels que ceux de Pizarre, et l'on peut se rappeler que plusieurs des soldats d'Almagro provenaient de cette troupe. Le général voyait ces horreurs avec déplaisir et faisait ce qu'il pouvait pour les réprimer. Au sortir de ce chaos sauvage de montagnes, les Espagnols atteignirent la verte vallée de Coquimbo, vers le 30e degré de latitude sud. Là, ils firent halte pour se reposer. Pendant ce temps, Almagro envoya en avant un officier avec un détachement important pour reconnaître le pays vers le sud.

Peu après, il eut le plaisir d'être rejoint par le reste de ses forces sous le commandement de son lieutenant Rodrigo Orgonez; celui-ci était un homme remarquable, qui partagea la destinée d'Almagro. Il était natif d'Oropesa. Il s'était formé dans les guerres d'Italie et avait été enseigne dans l'armée du Connétable de Bourbon au fameux sac de Rome. C'était une bonne école pour y apprendre son rude métier et pour endurcir son cœur contre une sensibilité trop vive aux souffrances humaines. Orgonez était un excellent soldat, fidèle à son chef, hardi, intrépide, inflexible dans l'exécution des ordres. Almagro reçut le brevet royal qui lui conférait ses nouveaux pouvoirs et sa juridiction territoriale. Cette pièce avait été retenue par les Pizarre jusqu'au dernier moment. Ses soldats, depuis longtemps dégoûtés de leurs marches pénibles et peu profitables, demandèrent à grands cris à s'en retourner à Cuzco.

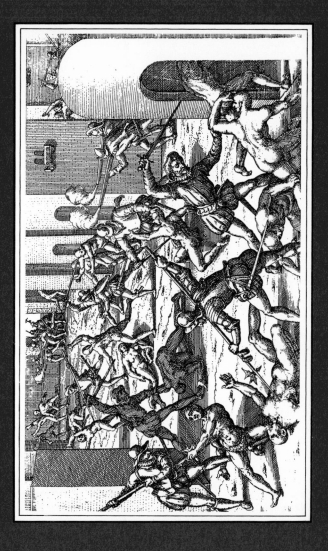

« *Fernand Pizarre poussa vigoureusement*
le siège des tours... » *(p. 136).*

Après une absence d'environ deux mois, l'officier envoyé en exploration rapporta des renseignements peu encourageants sur les régions méridionales du Chili. Almagro céda sans beaucoup de répugnance aux instances répétées de ses soldats et se dirigea vers le nord. Ils éprouvèrent au retour d'aussi grandes souffrances, quoique différentes, que celles supportées dans les défilés des Cordillères. Enfin, Almagro rejoignit le Pérou. Là, il apprit avec étonnement l'insurrection des Péruviens et, aussi, que le jeune Inca Manco se trouvait encore, avec une force redoutable, à peu de distance de la capitale. Il avait eu autrefois des rapports d'amitié avec ce prince. Il résolut, avant d'aller plus loin, d'envoyer une ambassade à son camp et de convenir d'une entrevue avec lui aux environs de Cuzco. Les émissaires d'Almagro furent bien reçus par l'Inca qui allégua ses griefs contre les Pizarre et désigna la vallée du Yucay comme le lieu où il conférerait avec le maréchal. Le général espagnol continua donc sa marche et, prenant la moitié de sa troupe, qui comprenait en tout un peu moins de cinq cents hommes, il se rendit en personne au lieu du rendez-vous.

Les Espagnols de Cuzco, effrayés par l'arrivée de ce nouveau corps de troupes dans leur voisinage, se demandèrent, lorsqu'ils apprirent d'où il venait, s'il leur apportait de bonnes ou de mauvaises nouvelles. Fernand Pizarre sortit de la ville avec une petite formation et apprit avec beaucoup d'inquiétude le projet qu'avait Almagro de maintenir ses prétentions sur la ville de Cuzco. Il résolut de lui résister.

Cependant les Péruviens, témoins des conciliabules entre les soldats des deux camps, soupçonnèrent quelque intelligence secrète entre les deux partis, qui pourrait compromettre la sûreté de l'Inca. Ils communiquèrent leur méfiance à Manco. Celui-ci, adoptant les mêmes sentiments ou ayant dès le commencement médité une surprise contre les Espagnols, fondit tout à coup sur eux dans la vallée du Yucay avec quinze mille hommes. En dépit d'un vif engagement de plus d'une heure, où Orgonez eut un cheval tué sous lui, les indigènes furent repoussés avec de fortes pertes et l'Inca fut si affaibli par ce coup qu'il ne suscita provisoirement plus guère d'inquiétude. Almagro, ayant rejoint la troupe laissée à Urcos, ne vit plus d'obstacle à ses opérations sur Cuzco. Il envoya une ambassade à la municipalité de la ville, demandant qu'elle le reconnût comme gouverneur légitime, présentant en même temps une copie des lettres de créance que lui avait envoyées la couronne. Mais la question de juridiction n'était pas facile à résoudre. Elle dépendait d'une connaissance exacte de la latitude, que les grossiers compagnons de Pizarre ne pouvaient guère avoir. La ligne de démarcation passait si près du territoire contesté, que le résultat pouvait être raisonnablement mis en doute lorsqu'on n'avait pas fait d'observations scientifiques exactes pour l'obtenir. Chaque parti se hâta d'affirmer, comme il arrive toujours en pareil cas, que sa prétention était claire et incontestable. Les autorités de Cuzco, ne voulant porter ombrage ni à l'un ni à l'autre des chefs rivaux, décidèrent d'attendre jusqu'à ce qu'elles pussent consulter, ce qu'elles promirent de faire immédiatement, certains pilotes, mieux instruits qu'elles-mêmes de la position de Santiago.

Les soldats d'Almagro, très mécontents de leur campement inondé par les eaux, découvrirent promptement que Fernand Pizarre, contrairement à la convention, s'occupait activement de se fortifier dans la ville. Ils apprirent aussi avec crainte qu'un renfort considérable, envoyé de Lima par le gouverneur, sous le commandement d'Alonso de Alvarado, était en marche pour secourir Cuzco. Dans cet état d'excitation, il ne fut pas très difficile de persuader leur général de violer le traité et de s'emparer de la capitale. A la faveur d'une nuit obscure et orageuse (8 avril 1537), il entra dans la ville sans opposition, se rendit maître de la principale église, établit de forts partis de cavalerie à la tête des principales

avenues pour prévenir les surprises et détacha Orgonez
avec un corps d'infanterie pour forcer le logis de Fernand
Pizarre. Il s'ensuivit un vif combat, dans lequel il y eut
quelques tués, jusqu'à ce qu'enfin Orgonez, inquiet de
cette résistance obstinée, mît le feu au toit très combus-
tible de l'édifice qui fut bientôt en flammes; les poutres
embrasées tombant sur la tête des soldats qui étaient
à l'intérieur, ceux-ci forcèrent leur chef hésitant à se
rendre sans conditions.

Almagro était maître de Cuzco. Il ordonna qu'on
s'assurât des Pizarre et de quinze ou vingt des principaux
cavaliers et qu'on les retînt prisonniers. Il nomma un des
plus habiles officiers de Pizarre, Gabriel de Rojas,
gouverneur de la ville. La municipalité, ayant alors
ouvert les yeux sur la validité des prétentions d'Almagro,
n'hésita plus à reconnaître ses droits à posséder Cuzco.
La première démarche du maréchal fut d'envoyer un
message au camp d'Alonso de Alvarado, faisant connaître à cet officier qu'il occupait la ville et le sommant
de lui obéir comme à son supérieur légitime. Alvarado
se trouvait à treize lieues environ de la capitale. Il resta
à Xauxa sous prétexte de défendre cette ville et les
environs contre les insurgés. Il se montra fidèle à son
général et, lorsque les ambassadeurs d'Almagro arrivèrent dans son camp, il les mit aux fers et rendit compte
de ce qui se passait au gouverneur à Lima.

Almagro, irrité par l'emprisonnement de ses envoyés,
se prépara aussitôt à marcher contre Alonso de Alvarado.
Son lieutenant, Orgonez, le pressa de faire tomber les
têtes des Pizarre avant de partir. Mais, bien que le
maréchal détestât Fernand, il recula devant une telle
mesure. Se contentant de placer les prisonniers sous
bonne garde dans un des bâtiments en pierre dépendant
de la Maison du Soleil, il se mit à la tête de ses troupes
et quitta la capitale pour aller chercher Alvarado. Cet
officier avait pris position au-delà du Rio de Abancay,
où il se trouvait avec le gros de sa petite armée à la tête
d'un pont qui traverse ce rapide cours d'eau. Dans ce

détachement, se trouvait un cavalier très considéré dans l'armée, Pedro de Lerma, qui, mécontent de son général, était entré en relation avec le parti opposé. Sur son conseil, Almagro, en arrivant sur les bords de la rivière, s'établit près du pont, en face d'Alvarado. Quand l'obscurité fut venue, il détacha un corps considérable sous les ordres d'Orgonez, pour franchir le gué et opérer de concert avec Lerma. Orgonez exécuta la mission avec sa hardiesse ordinaire. Le gué fut franchi. Il tomba sur l'ennemi avec furie. Il fut assisté promptement par Lerma et les soldats qu'il avait gagnés et, comme on ne pouvait plus distinguer l'ami de l'ennemi, la déroute des gens d'Alvarado fut complète.

Alvarado, éveillé par le bruit de l'attaque, se hâta de porter secours à son lieutenant. La lutte ne dura pas longtemps : le malheureux chef, ne sachant plus sur qui compter, dut se rendre avec ce qui lui restait de ses troupes. Telle fut la bataille d'Abancay, comme on l'appela, du nom de la rivière sur les bords de laquelle elle fut livrée, le 12 juillet 1537. Almagro revint en triomphe à Cuzco avec une troupe de prisonniers à peine inférieure en nombre à sa propre armée.

Tandis que ces événements se passaient, François Pizarre était resté à Lima, attendant avec anxiété l'arrivée des renforts qu'il avait réclamés pour marcher au secours de la capitale des Incas assiégée. Son appel n'était pas resté sans réponse. Avec une force se montant à quatre cent cinquante hommes, dont une moitié de cavalerie, le gouverneur quitta Lima et se dirigea vers la capitale des Incas. Il n'était pas encore très loin de Lima lorsqu'il reçut les nouvelles du retour d'Almagro, de la prise de Cuzco et de l'emprisonnement de ses frères. Il apprit la défaite totale et la capture d'Alvarado. Il revint en toute hâte à Lima, qu'il mit dans le meilleur état de défense pour l'assurer contre tous mouvements hostiles. Tout en s'occupant activement de ces prépa-ratifs, il voulut tenter de négocier. Il envoya à Cuzco une ambassade, composée de plusieurs personnes dans la discrétion desquelles il avait la plus grande confiance, ayant à leur tête Espinosa comme l'homme le plus intéressé à un arrangement amiable.

Le licencié, à son arrivée, ne trouva pas Almagro dans une disposition aussi favorable à un accommodement qu'il aurait pu le souhaiter. Il aspirait alors, non seulement à la possession de Cuzco, mais à celle de Lima, comme dépendant de sa juridiction. L'influence que les arguments modérés du licencié auraient pu avoir éventuellement sur l'imagination exaltée du soldat est douteuse; mais, de toute façon, la négociation prit fin brutalement avec la mort d'Espinosa lui-même, survenue d'une manière inattendue quoique sans soupçon d'empoisonnement. Ce fut une grande perte pour les deux adversaires, étant donné l'état de fermentation de leurs esprits.

Toute tentative de négociation fut abandonnée. Almagro annonça son intention de descendre vers la côte où il pourrait fonder une colonie. Avant de quitter Cuzco, il envoya Orgonez avec un fort détachement contre l'Inca, ne voulant pas laisser la capitale exposée en son absence. Mais l'Inca, découragé par sa défaite, abandonna sa forteresse de Tambo et se retira dans les montagnes. Avant de quitter la capitale, Orgonez conjura de nouveau son général de faire tomber les têtes des Pizarre et ensuite de marcher aussitôt sur Lima. Par cet acte décisif, il terminerait la guerre et s'assurerait pour toujours contre les machinations de ses ennemis. Cependant, un nouvel ami s'était levé en faveur des prisonniers. C'était Diego de Alvarado, frère de ce Pedro qui avait conduit la malheureuse expédition de Quito. Après le départ de son frère, Diego s'était attaché à la fortune d'Almagro et l'avait accompagné au Chili. Alvarado avait fréquemment rendu visite à Fernand Pizarre dans sa prison où ce dernier, pour tromper l'ennui de sa captivité, s'amusait à jouer, avec le goût passionné des Espagnols. On jouait gros jeu et Alvarado perdit la somme énorme de quatre-vingt mille castillans d'or.

Il voulut aussitôt payer sa dette, mais Fernand Pizarre refusa d'accepter l'argent. Par cette générosité politique, il s'assura d'un appui important auprès d'Almagro.

En quittant Cuzco, le maréchal donna des ordres pour que Gonzalo Pizarre et les autres prisonniers fussent étroitement détenus. Il prit Fernand avec lui et le fit garder sévèrement pendant la marche. Descendant rapidement vers la côte, il atteignit l'agréable vallée de Chincha. Là il apprit que Gonzalo Pizarre, Alonso de Alvarado et les autres prisonniers, ayant corrompu leurs gardes, s'étaient échappés de Cuzco; peu après, il fut informé de leur arrivée au camp de Pizarre. Irrité par cette nouvelle, il le fut tout autant par les insinuations d'Orgonez qui voyait dans ces événements le résultat de son indulgence imprudente. Cela aurait pu devenir fatal à Fernand, mais l'attention d'Almagro fut détournée par les négociations que François Pizarre proposait de reprendre.

On arrangea une entrevue entre les chefs rivaux. Elle eut lieu à Mala, le 13 novembre 1537. La conduite des deux chefs à l'égard l'un de l'autre fut très différente de celle de leurs anciennes rencontres. La discussion tourna à l'altercation, au point qu'Almagro, interprétant une insinuation d'un compagnon de Pizarre comme les préparatifs d'un piège, quitta brusquement les lieux, monta à cheval et regagna au galop ses quartiers à Chincha. La conférence ne fit qu'élargir la brèche qu'elle devait colmater. Le frère, Francisco de Bovadilla, promu arbitre et laissé maître de ses décisions, rendit sa sentence, après une assez longue délibération. Il décida qu'un vaisseau, ayant à bord un pilote expérimenté, serait envoyé pour déterminer la latitude exacte de la rivière de Santiago, limite septentrionale du territoire de Pizarre, à laquelle toutes les mesures devaient se rapporter. En même temps, Cuzco devait être rendue par Almagro et Fernand Pizarre remis en liberté, à condition qu'il quitte le pays pour l'Espagne dans un délai de six semaines. Les deux parties devaient se retirer sur leurs territoires incontestés et renoncer à toute hostilité.

Cette sentence, comme on peut le supposer, très satisfaisante pour Pizarre, fut reçue par les compagnons d'Almagro avec indignation et mépris. Ils dénoncèrent l'arbitre comme soudoyé par le gouverneur et on entendit, parmi les troupes, des murmures, encouragés par Orgonez, demandant la tête de Fernand. Jamais celui-ci ne fut en plus grand danger. Mais son bon génie, sous la forme d'Alvarado, s'interposa de nouveau pour le protéger. Cependant le gouverneur, son frère, n'était pas disposé à l'abandonner à son sort. Il était prêt maintenant à faire toutes les concessions pour assurer sa liberté. Après quelques négociations préliminaires, une autre sentence plus équitable ou, en tout cas, plus satisfaisante pour le parti mécontent, fut prononcée. La ville de Cuzco et son territoire resteraient entre les mains d'Almagro. Fernand Pizarre serait mis en liberté, toujours à la condition de quitter le pays dans les six semaines.

Almagro, afin de faire plus d'honneur à son prisonnier, le visita en personne et lui annonça qu'il était libre. Il exprima l'espoir que les différends passés seraient oubliés. Fernand répondit, avec une cordialité apparente, que « pour lui il ne désirait rien de plus ». Il jura ensuite de la manière la plus solennelle qu'il observerait fidèlement les clauses du traité. Le maréchal le conduisit ensuite à ses quartiers où il prit part à une collation avec les principaux officiers. Plusieurs d'entre eux escortèrent le cavalier au camp de son frère qui avait été transféré dans la ville voisine de Mala. A leur retour, ce qu'ils racontèrent de leur réception ne laissa aucun doute dans l'esprit d'Almagro que tout ne fût enfin terminé à l'amiable. C'était mal connaître Pizarre.

A peine les officiers d'Almagro eurent-ils quitté les quartiers du gouverneur que ce dernier, rassemblant sa petite armée, se remit en mémoire les nombreuses injures de son rival. Il en conclut que l'heure de la vengeance

était arrivée. Pendant les négociations, Pizarre s'était
occupé activement des préparatifs de guerre. Il avait
rassemblé une armée plus importante que celle de son
rival, composée de soldats ramassés de tous côtés, mais
habitués pour la plupart au service des armes. Il releva
Fernand de tous ses engagements envers Almagro,
justifiant cette mesure par la nécessité. Fernand céda
à regret aux ordres de son frère, comme à une mesure
que lui imposait son obéissance à la couronne. La
première démarche du gouverneur fut d'informer Almagro que le traité cessait d'avoir son effet. Il lui enjoignit
en même temps d'abandonner ses prétentions sur Cuzco
et de se retirer sur son territoire.

Almagro, réveillé de sa trompeuse sécurité, eut
conscience clairement de l'erreur qu'il avait commise. Il
souffrait d'une maladie grave, suite des excès de sa
jeunesse, qui le minait physiquement et le rendait
incapable de tout effort. Dans cette déplorable situation,
il confia la conduite de ses affaires à Orgonez, dont la
loyauté et le courage lui inspiraient une confiance
absolue. La fortune d'Almagro était à son déclin. Ses
pensées se tournèrent alors vers Cuzco qu'il eut hâte
d'occuper avant l'arrivée de l'ennemi. Trop faible pour
se tenir à cheval, il était obligé de se faire porter en
litière.

Pendant ce temps, le gouverneur et ses frères, après
avoir traversé le défilé de Guaitara, descendaient dans
la vallée de Ica où Pizarre s'arrêta assez longtemps.
Ensuite, prenant congé de l'armée, il retourna à Lima,
confiant la poursuite de la guerre à ses frères, plus jeunes
et plus actifs que lui. Fernand, quittant peu après Ica,
s'avança le long de la côte jusqu'à Nasca, se proposant
d'entrer dans le pays en faisant un détour, pour éviter
l'ennemi qui aurait pu lui opposer de sérieux obstacles
dans certains passages des Cordillères. Almagro, malheureusement pour lui, n'adopta pas ce plan d'opérations
qui lui aurait donné un grand avantage et son adversaire,
sans autres empêchements que ceux qui venaient des

difficultés de la marche, arriva, à la fin d'avril 1538, dans le voisinage de Cuzco.

Almagro était déjà en possession de cette capitale où il était arrivé dix jours auparavant. Il tint un conseil de guerre pour déterminer le plan qu'on devait suivre. Quelques-uns furent d'avis de défendre opiniâtrement la ville. Almagro aurait voulu négocier. Mais Orgonez répondit brusquement : « Il est trop tard; vous avez délivré Fernand Pizarre, il ne reste plus qu'à le combattre. »

L'opinion d'Orgonez : sortir et livrer bataille à l'ennemi dans la plaine, prévalut enfin. Le maréchal remit le commandement à son fidèle lieutenant qui, rassemblant ses forces, quitta la ville et prit position à Las Salinas, à moins d'une lieue de Cuzco. Le choix de la position était peu judicieux. Un terrain inégal contrariait la pleine action de la cavalerie qui composait la force principale des troupes d'Almagro. Orgonez garda sa position, le front protégé par un marais et par une petite rivière qui coulait dans la plaine. Ses forces se montaient en tout à cinq cents hommes. Son infanterie manquait d'armes à feu, auxquelles suppléaient les longues piques. Ainsi préparé, il attendit tranquillement l'approche de l'ennemi.

On vit bientôt les armes brillantes et les bannières des Espagnols, sous les ordres de Fernand Pizarre, sortir des gorges des montagnes. Le bruit d'une bataille prochaine s'étant répandu au loin dans le pays, les crêtes des rochers d'alentour étaient couronnées d'une multitude d'indigènes, avides de repaître leurs yeux d'un spectacle où, quel que fût le vainqueur, la défaite accablerait leurs ennemis. La nuit se passa dans un silence que n'interrompit pas la foule qui couvrait les sommets environnants.

Le samedi 26 avril 1538, le soleil se leva, radieux comme à l'ordinaire dans ce beau climat. Longtemps avant que ses rayons éclairassent la plaine, la trompette de Fernand Pizarre avait appelé ses soldats aux armes.

Il rangea ses hommes dans le même ordre de bataille que celui de l'ennemi, plaçant l'infanterie au centre et disposant sa cavalerie sur les flancs. Il en mit une division sous les ordres d'Alonso de Alvarado et se chargea de l'autre. L'infanterie était commandée par son frère Gonzalo, soutenu par Pedro de Valdivia, le futur héros de la campagne d'Araucanie. Fernand Pizarre harangua brièvement ses troupes. Il parla des injures personnelles que lui et sa famille avaient reçues d'Almagro. Il rappela aux vétérans de son frère que Cuzco leur avait été arrachée. Il fit monter le rouge au front des soldats d'Alvarado lorsqu'il parla de la déroute d'Abancay et, montrant la métropole des Incas qui brillait au soleil levant, il leur dit que là était la récompense du vainqueur. Ils répondirent à son appel par des acclamations.

Le signal de l'attaque donné, Gonzalo, à la tête de son bataillon d'infanterie, passa sur-le-champ la rivière. Tandis qu'ils se frayaient un passage à travers le marais, l'artillerie d'Orgonez tirait avec succès sur les premières files et les mit en désordre. Gonzalo et Valdivia se jetèrent au milieu des leurs, menaçant les uns, encourageant les autres, et parvinrent enfin à les amener sur un terrain solide.

Pendant ce temps, Fernand, formant ses deux escadrons de cavalerie en colonne, passa la rivière à l'abri du tir de son artillerie et, atteignant la terre ferme, chargea aussitôt l'ennemi. Le choc fut terrible. Le combat fut acharné; ce n'était plus la lutte du Blanc contre l'Indien sans défense, mais de l'Espagnol contre l'Espagnol. Les deux partis s'encourageaient par leurs cris de guerre : « El Rey y Almagro » ou « El Rey y Pizarro », et se battaient avec une haine aussi forte que l'avaient été les liens rompus.

Dans cette affaire sanglante, Orgonez fit bravement son devoir, se comportant en homme de guerre. Au fort de ses exploits, il fut frappé d'une balle qui, pénétrant les grilles de sa visière, lui effleura le front et le priva de sentiment pendant quelques instants. Avant qu'il fût tout à fait remis, son cheval fut tué sous lui et, quoique le cavalier eût réussi à se dégager des étriers, il fut accablé sous le nombre. Orgonez remit son épée à un certain Fuentes, domestique de Pizarre qui, tirant sa dague, frappa au cœur son prisonnier sans défense. (Sa tête fut ensuite coupée, mise sur une pique, et ce sanglant trophée fut exposé sur la grande place de Cuzco, comme la tête d'un traître.)

Le combat avait duré plus d'une heure et la fortune abandonnait les compagnons d'Almagro. Orgonez une fois tombé, la confusion s'accrut parmi les hommes d'Almagro; à peine résistaient-ils encore. Puis ils s'enfuirent en toute hâte vers Cuzco. Almagro lui-même, couché sur une litière, avait vu avec une angoisse inexprimable ses fidèles compagnons, après une lutte terrible, écrasés par leurs adversaires. Il réussit enfin à monter sur une mule et alla chercher refuge dans la forteresse de Cuzco. Il y fut bientôt suivi, capturé, mis aux fers et incarcéré dans les mêmes locaux du bâtiment où il avait emprisonné les Pizarre.

L'action ne dura pas tout à fait deux heures. Le nombre des morts, diversement évalué, ne fut sans doute pas au-dessous de cent cinquante — un des combattants le porte à deux cents — chiffre considérable vu le peu de temps que dura le combat et les faibles effectifs engagés. Les partisans d'Almagro éprouvèrent les pertes les plus nombreuses. Mais le carnage ne finit point avec l'action. Telle était l'animosité des deux partis, que plusieurs hommes furent massacrés de sang-froid, comme Orgonez, après s'être rendus. Pedro de Lerma lui-même, tandis qu'il était dans son lit chez des amis à Cuzco, reçut la visite d'un soldat nommé Damaniego, qu'il avait frappé autrefois pour un acte de désobéissance. Cet homme s'approcha de son lit, lui reprocha l'affront passé et lui dit être venu pour le laver dans le sang. Lerma l'assura en vain qu'il lui donnerait la satisfaction qu'il désirait. Le misérable lui plongea son épée dans la poitrine.

Dans la hâte désordonnée de la fuite et de la poursuite, tous se précipitant vers Cuzco, le champ de bataille avait été abandonné. Mais il fut bientôt couvert d'Indiens pillards descendus des montagnes comme des vautours; ils prirent possession de la plaine sanglante et, enlevant aux cadavres jusqu'aux moindres parties de leurs habillements, les laissèrent nus sur le sol. Les Castillans, quoique affaiblis pour le moment par le combat, étaient beaucoup plus forts à Cuzco qu'ils ne l'avaient jamais été. Les troupes rassemblées alors dans ses murs, qui se montaient à treize cents hommes, composées des éléments les plus disparates, donnaient de vives inquiétudes à Fernand Pizarre. Il avait livré la capitale au pillage et ses partisans trouvèrent un butin considérable chez les officiers d'Almagro. Cela ne suffisait pas aux cavaliers les plus ambitieux. Tous étaient en quête d'un El Dorado. Fernand Pizarre acquiesçait autant que possible à leurs désirs, tout disposé à se débarrasser de créanciers importuns. Les expéditions se terminaient souvent par des désastres, mais le pays était exploré. C'était la loterie de l'aventure; les gains étaient peu nombreux, mais magnifiques et, dans l'ardeur du jeu, peu d'Espagnols s'arrêtaient à calculer les chances de succès.

Parmi ceux qui quittèrent la capitale se trouvait Diego, le fils d'Almagro. Fernand eut soin de l'envoyer à son frère, le gouverneur. Pendant ce temps, le maréchal dépérissait en prison, sous l'influence combinée de la maladie et du chagrin. Avant la bataille de Las Salinas, on avait dit à Fernand Pizarre qu'Almagro allait mourir. « Dieu veuille, s'écria-t-il, que cela n'arrive pas avant qu'il tombe dans mes mains. » Fernand le visita dans sa prison et l'encouragea par l'assurance qu'il n'attendait que l'arrivée du gouverneur pour le mettre en liberté. Almagro, ranimé par ces attentions bienveillantes et par la perspective d'une liberté prochaine, sentit peu à peu renaître sa santé et son courage. Il ne songeait guère que, pendant ce temps-là, on préparait activement son procès. La procédure achevée (8 juillet 1538), il ne fut pas difficile d'obtenir un jugement contre le prisonnier. Les principaux points sur lesquels il était déclaré coupable étaient d'avoir fait la guerre au roi et, par là, d'avoir causé la mort de beaucoup de sujets de Sa Majesté; d'avoir conspiré avec l'Inca; et enfin d'avoir dépossédé le gouverneur royal de la ville de Cuzco. Il fut condamné à subir le supplice des traîtres, c'est-à-dire à être décapité publiquement sur la grande place de la ville. En réalité, le procès tout entier fut une dérision, l'accusé lui-même n'ayant pas eu connaissance de l'acte d'accusation.

La sentence fut communiquée à Almagro par un moine. L'infortuné ne comprit pas tout d'abord la situation. Revenu de sa première surprise, il supplia Fernand Pizarre de lui accorder une entrevue. Celui-ci, qui ne demandait pas mieux, semble-t-il, que de contempler l'angoisse de son captif, y consentit. Almagro, abattu par ses malheurs, s'abaissa par des supplications à demander grâce. Il parla des services qu'il avait rendus à son pays et supplia son ennemi d'épargner ses cheveux gris. Fernand répondit froidement qu'il était surpris de voir Almagro s'abaisser d'une manière si indigne d'un brave chevalier. Mais Almagro, qui ne se résignait pas au silence, fit valoir les services qu'il avait rendus à Fernand lui-même, et conclut en menaçant son ennemi de la vengeance de l'empereur, qui ne pardonnerait jamais l'injustice faite à un homme qui avait rendu de si grands services à la couronne. Fernand rompit brusquement l'entretien en répétant au prisonnier que « son sort était inévitable et qu'il devait se préparer à le subir ».

La condamnation d'Almagro produisit une profonde sensation dans la colonie de Cuzco. Tout le monde s'étonna de la présomption d'un homme qui, revêtu d'une autorité temporaire et limitée, osait juger un personnage du rang d'Almagro. Ceux-là mêmes qui avaient fourni les éléments de l'accusation, effrayés maintenant de son tragique aboutissement, dénonçaient la conduite de Fernand comme celle d'un tyran. Almagro, au moment de sa mort, n'était probablement pas loin de soixante-dix ans; nous disons probablement, car Almagro était un enfant trouvé et l'histoire de ses premières années est obscure. C'était un homme à passions violentes et peu habitué à les réprimer. Mais il n'était ni vindicatif, ni habituellement cruel. C'était un bon soldat, attentif et judicieux dans ses plans, patient et intrépide dans l'exécution. Son corps était couvert de cicatrices au point que sa laideur devint presque une difformité. Cependant, sa liaison avec Pizarre ne peut guère être considérée comme une circonstance heureuse de sa carrière. Une association formée pour l'exploration et la conquête ne semble pas devoir être observée très scrupuleusement, surtout par des hommes plus accoutumés à gouverner les autres qu'à se gouverner eux-mêmes. La ruine finale d'Almagro peut être imputée à lui-même. Il fit deux fautes capitales. La première fut d'en appeler aux armes en s'emparant de Cuzco : la délimitation des territoires devait se faire par la négociation. La deuxième fut, ayant pris les armes, de négocier ensuite, surtout avec Pizarre. Ce fut là sa plus grave erreur. Il avait assez connu Pizarre pour savoir qu'il ne fallait pas se fier à lui. Almagro paya cette confiance de sa vie.

Lorsque son frère se mit à la poursuite d'Almagro, le marquis François Pizarre, comme nous l'avons vu, regagna Lima. Lorsqu'il reçut l'heureuse nouvelle de la victoire de Las Salinas, il fit aussitôt ses préparatifs pour aller à Cuzco. Cependant, il fut retenu longtemps à Xauxa par les désordres du pays, et aussi par sa répugnance à entrer dans la capitale pendant l'instruction du procès d'Almagro. A Xauxa, il rencontra le fils du maréchal, Diego, qui avait été envoyé vers la côte par Fernand Pizarre. Pizarre reçut Diego avec une bienveillance apparente, lui dit de prendre courage, qu'il n'arriverait rien de fâcheux à son père. Le jeune homme, encouragé par ces assurances, continua sa route vers Lima, où, sur les ordres de Pizarre, il fut reçu dans sa maison et traité comme un fils.

Pizarre retardait toujours sa marche vers la capitale. Quand il la reprit, il n'était encore qu'au Rio de Abancay lorsqu'il reçut la nouvelle de la mort de son rival. Il en parut frappé d'horreur. Ses amis rapportent qu'il resta longtemps les yeux fixés au sol et donnant les signes d'une forte émotion. Une version plus probable le représente comme étant parfaitement instruit de l'état des choses à Cuzco. Il est tout à fait certain que, pendant son long séjour à Xauxa, il était en communication constante avec Cuzco et que si, comme le lui répétait sans cesse Valverde, il eût pressé sa marche vers cette capitale, il eût pu facilement prévenir la consommation de la tragédie. Sa conduite ultérieure ne refléta aucun remords de ce qui s'était passé. Il entra à Cuzco au bruit des fanfares, des clairons et des trompettes, à la tête d'un cortège martial, revêtu du riche costume que lui avait offert Cortez et avec la contenance fière et satisfaite d'un conquérant. Lorsque Diego de Alvarado s'adressa à lui pour lui réclamer le gouvernement des provinces méridionales au nom du jeune Almagro, que son père avait confié à sa protection, Pizarre répondit que « le maréchal, par sa révolte, avait perdu tout droit à ce gouvernement ». Comme Alvarado insistait, il rompit la conversation, déclarant que « son gouvernement n'avait pas de bornes et s'étendait jusqu'aux Flandres! »

Pizarre se montrait étrangement insensible aux plaintes des indigènes opprimés qui invoquaient sa protection, et il traitait les compagnons d'Almagro avec un mépris non déguisé. Il pourvut ses frères de repartimientos si considérables qu'il excita les murmures de ses partisans. Il nomma Gonzalo au commandement d'un nombreux détachement destiné à agir contre les indigènes de Charcas. Gonzalo rencontra une résistance opiniâtre, mais il fut récompensé, ainsi que Fernand qui l'aida dans cette conquête, par une concession considérable dans le voisinage de Porco, dont les mines productives avaient été partiellement exploitées sous les Incas. Fernand reconnut la richesse du sol et il commença à

exploiter les mines sur une échelle plus vaste qu'on ne
l'avait fait jusque-là.

* * *

La grande affaire de Fernand était maintenant de
ramasser un trésor assez considérable pour l'emporter
avec lui en Castille. Près d'une année s'était écoulée
depuis la mort d'Almagro, et il était grand temps que
Fernand allât se présenter à la cour, où Diego de Alvarado
et d'autres amis du maréchal, qui depuis longtemps
avaient quitté le Pérou, soutenaient activement les
prétentions du jeune Almagro et demandaient la répa-
ration du tort fait à son père. Mais Fernand comptait
sur son or pour dissiper les accusations portées contre
lui. Avant son départ, il conseilla à son frère de se garder
des « hommes du Chili ». On appelait ainsi les compagnons d'Almagro. Le gouverneur se moqua de ce qu'il
appelait les vaines craintes de son frère.

Fernand Pizarre s'embarqua à Lima dans l'été de 1539.
Il ne prit pas la route de Panama, car il avait appris
l'intention des autorités de cette ville de l'arrêter. Il fit
donc un détour par la route du Mexique. Il s'arrêta dans
une île des Açores où il attendit des nouvelles d'Espagne.
Il avait quelques amis puissants à la cour, qui l'encoura-
gèrent à se présenter devant l'Empereur. Il suivit leurs
conseils et atteignit bientôt la côte d'Espagne.

La cour était à Valladolid. Fernand, qui fit une entrée
fastueuse dans cette ville, étalant les richesses qu'il
avait acquises en Amérique, y trouva un accueil plus
froid qu'il ne s'y attendait. Il le dut surtout à Diego
de Alvarado qui y résidait alors et, par son rang honorable et ses liaisons puissantes, exerçait une grande
influence. Il était venu en Espagne pour faire valoir les
droits du jeune Almagro. Malgré la froideur de l'accueil,
Fernand, par sa présence, sa manière d'exposer les
querelles avec Almagro, l'or qu'il prodigua, arrêta le
courant d'indignation. L'opinion des juges fut tenue en

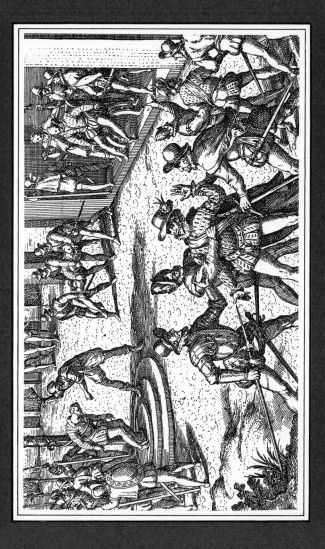

« Almagro fut condamné à être décapité publiquement sur la grande place de la ville... » (p. 157).

suspens. Alvarado s'irrita de ces lenteurs et défia Fernand en combat singulier. Mais son prudent adversaire n'avait aucun désir de remettre la conclusion à une telle épreuve et l'affaire se termina par la mort d'Alvarado lui-même, cinq jours seulement après le défi. L'à-propos de cette mort suggéra naturellement l'idée de poison.

Les accusations d'Alvarado n'étaient pas complètement tombées, et Fernand Pizarre avait agi avec trop de hauteur et avait trop blessé le sentiment public, pour qu'on le laissât échapper. Aucun arrêt formel ne fut rendu, mais il fut emprisonné dans la forteresse de Medina del Campo, où on le laissa pendant vingt ans; en 1560, on lui rendit sa liberté. Fernand supporta cette longue captivité avec une égalité d'âme qui, si elle eût été fondée sur des principes honnêtes, aurait pu commander le respect. Il vit ses frères et ses parents, tous ceux sur lesquels il comptait pour le soutenir, enlevés l'un après l'autre, sa fortune en partie confisquée, tandis qu'il soutenait des procès ruineux pour sauver sa réputation flétrie, sa carrière terminée avant le temps, lui-même exilé au cœur de son pays. Quoique très vieux quand il fut relâché, il survécut encore plusieurs années et atteignit l'âge extraordinaire de cent ans.

Fernand avait un caractère remarquable par certains aspects. Il était l'aîné de demi-frères du côté paternel. François avait beaucoup de déférence pour lui, non seulement comme son frère aîné, mais à cause de son éducation supérieure et de sa connaissance des affaires. Il était hautain, même envers ses égaux, et il avait un caractère vindicatif que rien ne pouvait apaiser. Ainsi, au lieu d'aider son frère dans la conquête, il en fut le mauvais génie qui flétrit sa gloire. Il conçut immédiatement un mépris inexcusable pour Almagro, en qui il vit le rival de son frère et non, ce qu'il était alors réellement, le compagnon fidèle de sa destinée. Il trouva moyen de lui nuire, tomba dans les mains d'Almagro, et fut sur le point de payer de sa vie ses erreurs. Fernand ne put pardonner et attendit froidement l'heure de la vengeance. Il crut acheter la justice avec l'or du Pérou. Il avait étudié les côtés faibles et mauvais de la nature humaine et il espérait en profiter. Heureusement pour la justice, il fut déçu. Sans doute, il fut vengé, mais l'heure de sa vengeance fut celle de sa ruine.

CHAPITRE 2

La mort de François Pizarre

L'état de désordre du Pérou exigeait une prompte intervention du gouvernement. C'était néanmoins une affaire très difficile. L'autorité de François Pizarre était solidement établie, et le pays était trop éloigné de la Castille pour être surveillé attentivement par la métropole. On devait donc envoyer quelqu'un qui exerçât une sorte de contrôle ou qui fût du moins d'un pouvoir égal à celui de ce chef dangereux. La personne choisie pour cette mission délicate fut le licencié Vaca de Castro, membre de l'audience royale de Valladolid. C'était un juge instruit, un homme sage et intègre et, quoiqu'il ne fût pas militaire, il était habile et avait une connaissance des hommes qui le rendait capable d'employer à son avantage les talents des autres. Il devait paraître devant Pizarre en qualité de juge royal, s'entendre avec lui pour apaiser les griefs, spécialement en ce qui se rapportait aux malheureux indigènes, prendre, de concert avec lui, des mesures pour prévenir les abus et surtout s'instruire fidèlement de la condition du pays dans tous ses détails et en informer la cour de Castille. Mais, en cas de mort de Pizarre, il devait produire son brevet de gouverneur royal et réclamer comme tel l'obéissance des autorités dans tout le pays. Les événements montrèrent qu'il était sage d'avoir prévu cette éventualité.

La guerre civile, qui venait de déchirer le Pérou, l'avait laissé dans un tel état de désordre que l'agitation continua bien après que sa cause immédiate eut disparu. L'Inca Manco ne tarda pas à profiter de cette agitation des esprits. Il quitta ses refuges clandestins dans les profondeurs des Andes et s'établit, avec un corps nombreux de ses partisans, dans la contrée montagneuse située entre Cuzco et la côte. De cette retraite, il fit des descentes sur les plantations voisines, détruisant les maisons, enlevant le bétail et massacrant les habitants. Il tombait sur les voyageurs lorsqu'ils arrivaient de la côte isolément ou en caravane, et les mettait à mort, disent ses ennemis, dans de cruels supplices. Des détachements isolés furent envoyés contre lui, mais sans résultat. Il échappa aux uns, défit les autres et, une fois même, massacra jusqu'au dernier un groupe de trente cavaliers.

Pizarre jugea nécessaire d'envoyer contre l'Inca une force importante, sous les ordres de son frère Gonzalo. Le courageux Indien eut plusieurs rencontres avec son ennemi dans les défilés des Cordillères. Il était ordinairement battu, mais il réparait ses pertes d'une façon étonnante et réussissait toujours à s'échapper. Pizarre prit le parti de fonder des établissements au cœur de la contrée hostile, comme le moyen le plus efficace de réprimer les désordres parmi les indigènes. Ces établissements, qui furent décorés du nom de villes, pouvaient être regardés comme des colonies militaires. Les soldats s'y rassemblaient, accompagnés quelquefois par leurs femmes et leurs familles. Une colonie populeuse s'éleva rapidement dans le désert, offrant une protection au territoire voisin, fournissant un dépôt commercial au pays et une force armée toujours prête à maintenir l'ordre public.

Tel fut l'établissement de Guamanga, à mi-chemin entre Cuzco et Lima, qui répondit efficacement à son but en maintenant les communications avec la côte. Dans sa capitale de Lima, le gouverneur fut fort occupé à pourvoir aux besoins municipaux grandissants du fait de l'accroissement considérable de la population. Il encouragea le commerce avec les colonies éloignées du nord du Pérou et il prit des mesures pour faciliter les relations intérieures. Il stimula l'industrie dans toutes ses branches, faisant grand état de l'agriculture et introduisant des semences des différentes graines européennes qu'il eut, en peu de temps, la satisfaction de voir croître en grande abondance dans un pays où la variété des sols et des climats offrait une patrie à presque tous les produits. Partout, il encouragea le travail des mines : les objets les plus ordinaires nécessaires à la vie quotidienne se vendaient à des prix exorbitants, tandis que les métaux précieux eux-mêmes semblaient les seules choses sans valeur. Mais, changeant bientôt de mains, ils arrivaient dans la mère patrie où ils retrouvaient leur valeur en contribuant à l'accroissement de la circulation monétaire en Europe.

Pizarre, renforcé par l'arrivée de nouveaux aventuriers, tourna alors son attention vers les points reculés du pays. Il fit partir Pedro de Valdivia pour sa mémorable expédition au Chili, et le gouverneur assigna à son frère Gonzalo le territoire de Quito, avec mission d'explorer la région inconnue de l'est.

On sait peu de chose des premières années de Gonzalo Pizarre : il était d'origine obscure, comme François, et il semble aussi peu redevable que son frère aîné à ses parents. Pour le talent et l'étendue des vues, il était inférieur à ses frères. Il ne pratiqua pas non plus la politique froide et astucieuse de son frère, mais il était également courageux. C'était un excellent capitaine dans la guérilla, un chef admirable dans les expéditions risquées et difficiles, mais il n'avait pas l'ampleur de vues d'un grand capitaine, encore moins les qualités d'un gouverneur civil. Son malheur fut d'être appelé à remplir ces deux fonctions.

Gonzalo reçut la nouvelle de sa nomination au gouvernement de Quito avec un plaisir manifeste, non pas tant pour la possession de cette ancienne province indienne, que pour le champ d'exploration qu'elle lui ouvrait à l'est, vers ce qu'il croyait être la terre fabuleuse des épices de l'Orient qui avait longtemps charmé l'imagination des conquérants. Il partit au commencement de 1540 pour cette expédition. La première partie du voyage présenta relativement peu de difficultés, tant que les Espagnols furent encore dans le pays des Incas. Mais la scène changea lorsqu'ils entrèrent dans le territoire de Quixos, où les habitants, aussi bien que le climat, semblaient tout différents. Lorsqu'ils atteignirent les régions plus élevées, les vents glacés qui balayaient les flancs des Cordillères engourdissaient leurs membres et beaucoup d'indigènes qui les accompagnaient trouvèrent la mort dans ces solitudes.

En descendant les pentes orientales, le climat changea et, lorsqu'ils atteignirent les régions plus basses, le froid excessif fit place à une chaleur suffocante, tandis que des orages, venant de la Sierra, fondaient sur leurs têtes presque sans interruption, jour et nuit. Ils atteignirent enfin Canelas, la terre de la Cannelle. Ils virent les arbres qui portent la précieuse écorce se déployer en vastes forêts. Il y avait là une terre riche et fertile, abondante aussi en or et habitée par des tribus nombreuses. Gonzalo Pizarre avait atteint déjà les limites primitivement fixées à l'expédition. Mais sa découverte accrut ses espérances et il résolut de pousser plus loin l'aventure. Il eût été heureux pour lui et ses compagnons qu'ils décident de retourner sur leurs pas.

Poursuivant leur marche, ils virent le pays se transformer en vastes savanes, terminées par des forêts qui, à mesure qu'ils approchaient, semblaient s'étendre de tous côtés jusqu'à l'horizon. Ils trouvèrent là des arbres d'une taille prodigieuse qui ne se rencontrent que dans les régions équinoxiales. Ils étaient obligés de se frayer un passage à la hache, et leurs vêtements, pourris par les pluies torrentielles auxquelles ils avaient été exposés, et accrochés par les ronces, pendaient en lambeaux. Enfin, la troupe épuisée parvint au bord d'une grande étendue d'eau formée par le Napo, l'un des grands affluents de l'Amazone. Cette vue réjouit leurs cœurs car, en suivant les rives, ils espéraient trouver une route plus sûre et plus praticable. Après avoir longé longtemps les bords du fleuve hérissés de fourrés, Gonzalo et sa troupe entendirent un grand bruit qui résonnait comme un tonnerre souterrain. La rivière furieuse, se précipitant par des rapides à une vitesse effrayante, les conduisit au bord d'une cataracte magnifique qui s'élançait en une masse énorme d'écume d'une hauteur de douze cents pieds. Le spectacle frappa d'admiration les hardis aventuriers. On ne voyait d'autres êtres vivants que quelques sauvages habitants du désert, d'énormes boas et d'affreux alligators se chauffant au soleil sur les bords du fleuve.

A quelque distance au-dessus et au-dessous des chutes, le lit de la rivière se rétrécissait tellement que sa largeur n'excédait pas vingt pieds. Fortement pressés par la faim, les aventuriers se déterminèrent, à tout hasard, à passer sur la rive opposée dans l'espoir de trouver une contrée qui pût les nourrir. Un pont fragile fut construit en jetant des troncs d'arbres énormes sur l'abîme. Cependant, ils gagnèrent peu au change. Le pays ne semblait pas promettre davantage et les rives du fleuve étaient plantées d'arbres gigantesques ou bordées de fourrés impénétrables. Gonzalo résolut de construire une barque assez grande pour transporter les plus faibles de ses compagnons. Les forêts lui fournirent du bois de construction, les fers des chevaux morts en route ou que

les Espagnols avaient tués pour se nourrir furent changés
en clous. Au bout de deux mois, on eut achevé un
brigantin, grossièrement construit, mais suffisant pour
porter la moitié de la troupe.

Gonzalo Pizarre en confia le commandement à Francisco de Orellana, cavalier de Truxillo, au courage et
au dévouement duquel il croyait pouvoir se fier. Ils
voyagèrent ainsi pendant plusieurs semaines, à travers
les tristes solitudes qui bordent le Napo. On leur parla
alors d'un riche district, habité par une nation populeuse
et où le Napo se déversait dans une rivière encore plus
grande qui coulait à l'est. Elle était, disait-on, à quelques
journées de navigation; Gonzalo Pizarre résolut de
s'arrêter où il était et d'envoyer Orellana au confluent
pour se procurer des provisions. Les jours et les semaines
se passèrent, et le vaisseau ne revenait pas. Les Espagnols ne voyaient rien venir sur les eaux. Incapables
d'endurer plus longtemps cette incertitude ni même de
se maintenir dans leur position actuelle, Gonzalo et ses
compagnons, affamés, résolurent alors de s'avancer vers
le point de jonction des rivières. Deux mois se passèrent
avant qu'ils achevassent ce terrible voyage, quoique
la distance ne dépassât pas probablement deux cents
lieues. Ils atteignirent enfin le point si longtemps désiré,
où le Napo verse ses flots dans l'Amazone, ce fleuve
puissant qui descend vers l'océan sur plusieurs centaines
de milles à travers le cœur du grand continent et présente
à la vue le plus majestueux des fleuves de l'Amérique.

Les Espagnols ne reçurent aucune nouvelle d'Orellana.
Ils perdirent alors l'espoir de retrouver leurs camarades.
Leurs doutes furent enfin dissipés par l'apparition d'un
Blanc, errant à demi nu dans les bois, dont le visage,
quoique amaigri, leur laissa reconnaître les traits d'un
de leurs compatriotes. C'était Sanchez de Vargas.
Orellana, emporté rapidement par le courant du Napo,
avait atteint en moins de trois jours le confluent de cette
rivière avec l'Amazone. Il avait trouvé le pays très
différent du tableau qu'on en faisait. Loin d'y rencontrer

des ressources pour l'ensemble de l'expédition, il obtint
à grand-peine de quoi subvenir à ses besoins. Il lui fut
impossible de s'en retourner comme il était venu et de
lutter contre le courant de la rivière. Une idée traversa
son esprit, c'était de lancer immédiatement son vaisseau
sur l'Amazone et de descendre jusqu'à l'embouchure.
Il visiterait alors les tribus riches qui, disait-on, peu-
plaient ses rives, ferait voile sur le grand océan, passerait
dans les îles voisines et retournerait en Espagne pour
réclamer la gloire et la récompense de ses découvertes.
Cette proposition fut reçue avidement par ses insouciants
compagnons. Ils furent enflammés par la perspective
d'une aventure nouvelle et pleine d'imprévu. Orellana
réussit dans son entreprise, quoique cela paraisse invrai-
semblable qu'il ait échappé au naufrage en naviguant
sur ce fleuve inconnu et dangereux. Il sortit enfin du
grand fleuve; une fois sur la mer, il fit voile pour l'île
de Cubagua. De là, passant en Espagne, il se rendit
à la cour et raconta les détails de son voyage, parla
de l'El Dorado qu'on disait exister dans le voisinage et
d'autres merveilles, exagération plutôt qu'invention
d'une imagination crédule. Orellana obtint sans peine
une commission pour conquérir et coloniser les royaumes
qu'il avait découverts. Mais ni lui, ni son pays, n'étaient
destinés à obtenir ces avantages. Il mourut dans la
traversée et les pays baignés par l'Amazone échurent
au Portugal.

Un des compagnons d'Orellana combattit avec force
ces procédés, comme également contraires à l'humanité
et à l'honneur. C'était Sanchez de Vargas. Son chef
s'était cruellement vengé de lui en l'abandonnant dans
cette région désolée, où il fut retrouvé plus tard par ses
compatriotes. Les Espagnols écoutèrent avec horreur
le récit de Vargas et leur sang se glaça presque dans
leurs veines lorsqu'ils se virent ainsi abandonnés au
cœur de ces régions désertiques et si éloignées. Mais
alors les qualités d'initiative et de courage de Gonzalo
Pizarre se révélèrent avec éclat dans cette situation

quasi désespérée. Il n'y avait qu'un seul parti à prendre : retourner à Quito, quoique cette entreprise réveillât le souvenir d'un passé fait de souffrances à peine supportables. Gonzalo essaya de rassurer ses compagnons en insistant sur la constance invincible qu'ils avaient déployée jusque-là. Il les ramènerait, disait-il, par une autre route et il était impossible qu'ils ne rencontrassent pas quelque part des contrées fertiles.

Les soldats écoutaient ces paroles de promesse et d'encouragement. La confiance du chef ranima les cœurs abattus. Ils sentirent la force de son raisonnement. L'orgueil du vieil honneur castillan se réveilla dans leurs cœurs et chacun ressentit le généreux enthousiasme du chef. Il avait droit à leur dévouement. Il avait partagé le sort de ses plus pauvres soldats. Il trouva la récompense de sa conduite dans l'épreuve même. J'épargnerai au lecteur la récapitulation des souffrances endurées par les Espagnols dans leur marche de retour vers Quito. Ils prirent une route plus septentrionale que celle qui les avait conduits à l'Amazone et si elle présenta moins de difficultés, ils éprouvèrent cependant des souffrances encore plus grandes du fait de leur résistance amoindrie.

Enfin, en juin 1542, après plus d'une année passée à ce voyage de retour, la troupe exténuée atteignit les hautes plaines voisines de Quito. Il semblait qu'un charnier eût abandonné ses morts, lorsqu'on les vit s'avancer lentement, d'un pas incertain, comme une troupe de spectres. Plus de la moitié des quatre mille Indiens qui avaient accompagné l'expédition avaient péri et seulement quatre-vingts Espagnols, la plupart physiquement ruinés, revenaient à Quito. Telle fut la fin de cette expédition de l'Amazone qui, par ses dangers et ses fatigues, sa durée et la ténacité que les Espagnols manifestèrent, est peut-être sans pareille dans les annales de la découverte de l'Amérique.

Lorsque Gonzalo Pizarre atteignit Quito, il reçut la nouvelle d'un événement qui montrait que son expédition de l'Amazone avait été encore plus fatale à ses intérêts

qu'il ne l'avait cru. Une révolution avait eu lieu pendant
son absence et avait changé l'ancien ordre des choses
au Pérou. Après l'exécution d'Almagro, ses compagnons,
au nombre de plusieurs centaines, se dispersèrent dans
le pays, mais ils restèrent toujours unis par un sentiment
commun d'indignation contre les Pizarre. Le gouverneur
méprisait trop sincèrement les compagnons dispersés
d'Almagro pour consentir à prendre des précautions.
Il souffrit que le fils de son rival demeurât à Lima où
sa maison devint bientôt le rendez-vous des mécontents.
Pizarre le priva d'une grande partie de ses Indiens et
de ses terres, et l'exclut du gouvernement de la Nouvelle
Tolède, qui lui avait été légué par le testament de son
père. Dépouillés de tous moyens de subsistance, sans
fonctions ni emplois d'aucune espèce, les hommes du
Chili furent bientôt au paroxysme de l'exaspération.
Provoqués par l'insulte et l'injustice, il fallait tenir
compte d'eux. Mais, quoique Pizarre reçût divers avis
destinés à le mettre sur ses gardes, il resta indifférent.
On apprit alors dans la colonie que la Couronne avait
désigné un juge pour prendre connaissance des affaires
du Pérou. Pizarre, alarmé de cette nouvelle, envoya
pourtant des ordres pour qu'il fût bien reçu à son débarquement. Les partisans d'Almagro reprirent courage.
Ils espérèrent avec confiance en ce haut fonctionnaire
pour l'aboutissement de leurs revendications. Mais les
mois s'écoulaient, et l'on n'avait aucune nouvelle de son
arrivée, lorsqu'enfin un vaisseau, entrant dans le port,
annonça que la plupart des navires avaient sombré sur
la côte dans de violentes tempêtes et que le commissaire
avait probablement péri avec eux.

Enfin, découragée par cette nouvelle, la faction
d'Almagro, désespérant d'obtenir son droit d'une autorité légitime, résolut de l'obtenir par elle-même. Ces
hommes en vinrent à décider d'assassiner Pizarre. Le
jour désigné fut le dimanche 26 juin 1541. Les conspirateurs, au nombre de dix-huit ou vingt, devaient se
rassembler dans la maison d'Almagro, sur la grande

place. Ils devaient sortir et fondre sur lui dans la rue.
Un pavillon blanc, déployé d'une fenêtre de la maison,
devait donner à leurs autres camarades le signal d'aide
aux exécutants du complot. On conçoit mal que ces
arrangements fussent ignorés d'Almagro, puisque son
logis était le lieu du rendez-vous. Cependant, il n'est pas
prouvé qu'il ait pris part à la conspiration. Sa jeunesse
et son inexpérience le mettaient hors d'état d'en assurer
le commandement, dans les circonstances difficiles où
il était placé, et n'en faisaient guère qu'un fantoche à la
disposition des autres.

Le plus remarquable de ses conseillers était Juan
de Herrada, ou Rada, qui brûlait du désir de venger son
ancien général. Au jour désigné, Rada et ses compagnons
se réunirent dans la maison d'Almagro et attendirent
avec anxiété l'heure où le gouverneur sortirait de l'église.
Grande fut leur consternation lorsqu'ils apprirent que,
malade, il était retenu chez lui. Ne doutant pas que leur
complot fût découvert, ils se sentirent perdus. Angoissés,
hésitants, quelques-uns étaient d'avis de se disperser
dans l'espoir qu'après tout Pizarre pouvait ignorer leur
projet. Mais la plupart voulaient agir immédiatement en
l'attaquant dans sa propre maison. La question fut
tranchée sommairement par l'un d'eux qui comprit que
ce dernier parti était leur unique chance de salut. Ouvrant
brusquement les portes, il sortit, appelant ses compagnons à le suivre ou menaçant de proclamer leurs
intentions. On n'hésita plus et les cavaliers sortirent,
Rada à leur tête, en criant : « Vive le Roi! Mort au
tyran! ». C'était l'heure du dîner. Un grand nombre de
personnes, attirées par les cris des assaillants, sortirent
sur la place pour en connaître la cause. « Ils vont tuer
le marquis », disaient froidement quelques-uns. Nul ne
bougea pour le défendre. Le pouvoir de Pizarre n'avait
pas de base solide dans le cœur du peuple.

Pizarre dînait alors ou, plus probablement, sortait
de table. Il était entouré d'amis qui étaient entrés,
semble-t-il, après la messe pour s'informer sur sa santé.

Quelques-uns d'entre eux, alarmés par le bruit dans la cour, quittèrent le salon, coururent sur le premier palier et s'enquirent de la cause de cette rumeur. Le marquis, apprenant de quoi il s'agissait, cria à Francisco de Chaves, officier jouissant de toute sa confiance, de barrer la porte pendant que lui et son frère bouclaient leurs armures. Si cet ordre, donné froidement, eût été aussi froidement obéi, il les aurait sauvés tous jusqu'à l'arrivée des secours. Malheureusement, Chaves entrouvrit la porte et essaya d'entrer en pourparlers avec les conspirateurs, arrivés au haut de l'escalier. Ils coupèrent court au débat en passant Chaves au fil de l'épée et en jetant son cadavre dans la cour. Martinez de Alcantara, dans la chambre voisine, aidait Pizarre à boucler sa cotte de mailles. Il ne vit pas plus tôt que l'entrée était forcée, qu'il s'élança et essaya de fermer le passage aux assaillants. Une lutte désespérée s'engagea. Deux des conspirateurs furent tués.

Pizarre saisit son épée et courut au secours de Martinez. Il était trop tard. Alcantara chancelait déjà, épuisé par la perte de son sang, et ne tardait pas à tomber. Pizarre se jeta, tel un lion, sur les meurtriers et porta des coups avec rapidité et vigueur. Les conspirateurs reculèrent un moment. Mais ils se reprirent bientôt et combattirent alors avec une ardeur accrue et en se relayant. Pizarre reçut une blessure à la gorge, chancela et tomba, tandis que Rada et plusieurs des conspirateurs lui plongeaient leurs épées dans le corps.

Les conspirateurs, ayant réussi dans leur entreprise meurtrière, se précipitèrent dans la rue et, brandissant leurs armes ensanglantées, ils s'écrièrent : « Le tyran est mort! La légalité est rétablie! Vive notre maître l'Empereur et son gouverneur Almagro! » Les hommes du Chili, excités par ce cri encourageant, accoururent alors de toutes parts pour joindre la bannière de Rada, qui se trouva bientôt à la tête de près de trois cents hommes, tous armés et prêts à soutenir son autorité. La maison de Pizarre et celle de son secrétaire Picado

furent livrées au pillage. La municipalité fut ensuite
sommée de reconnaître l'autorité d'Almagro. Les réfrac-
taires furent, sans autres formalités, dépossédés de leurs
offices et on les remplaça par des gens de la faction
du Chili.

Une tombe fut creusée précipitamment dans un coin
obscur. On dépêcha le service funèbre puis, secrètement,
dans les ténèbres éclairées seulement par la faible lueur
de quelques cierges qu'avaient fournis ses humbles
serviteurs, les restes de Pizarre, enveloppés d'un linceul
sanglant, furent rendus à la terre. Tué en plein jour,
au cœur de sa propre capitale, au milieu de ceux qui
avaient été ses compagnons d'armes et qui partageaient
avec lui le triomphe et le butin, il périt misérablement.
Quelques années plus tard les restes de Pizarre purent
reposer auprès de ceux de Mendoza, le sage et bon
vice-roi du Pérou.

* * *

Ni le titre, ni les biens du marquis François ne passèrent
à sa postérité légitime. Mais à la troisième génération,
sous le règne de Philippe IV, le titre fut relevé, en faveur
de don Juan Fernando Pizarro qui, en reconnaissance
des services de son ancêtre, fut créé marquis de la
Conquête (Marques de la Conquista), avec une riche
pension du gouvernement.

J'ai déjà décrit la personne de Pizarre. Il était grand,
bien proportionné et avait une physionomie qui n'était
pas désagréable. Différent de beaucoup de ses compatriotes, il n'avait aucune passion pour les habits fastueux,
qu'il regardait comme un embarras. Le costume qu'il
portait le plus souvent dans les cérémonies était un
manteau noir avec un chapeau blanc et des souliers de
la même couleur. Il était sobre et se levait ordinairement
une heure avant le jour. Il s'occupait activement des
affaires et ne reculait devant aucune fatigue. Il était
avare pour les dépenses, mais ne songeait pas à amasser.

Ses immenses trésors, probablement les plus considérables qui fussent jamais tombés aux mains d'un aventurier, furent en grande partie dissipés dans ses entreprises, ses travaux d'architecture et ses plans d'améliorations publiques. Pour un homme d'action énergique comme Pizarre, l'oisiveté était le pire des maux. L'excitation du jeu était en quelque sorte nécessaire à un esprit accoutumé aux stimulants de la guerre et des aventures. Pedro Pizarro, son compagnon d'armes, nous dit qu'il ne savait ni lire, ni écrire, et Zarate, un autre contemporain, confirme qu'il ne savait même pas signer son nom. Quoique hardi dans l'action et peu enclin à se laisser détourner de son but, Pizarre était lent à prendre une décision. Cela lui donnait une apparence d'irrésolution étrangère à son caractère. A peine est-il nécessaire de parler du courage d'un tel homme. Le courage, en effet, était une qualité fort courante parmi les aventuriers espagnols. Quand Pizarre débarqua dans le pays, il le trouva divisé par des prétendants qui se disputaient la couronne. Il semblerait que son intérêt eût été de jouer le jeu d'un parti contre l'autre. Au lieu de cela, il recourut à un acte de violence audacieux qui écrasa les deux prétendants d'un seul coup. Pizarre s'acquit une réputation de perfidie qui nuisit à sa politique et le mena à sa perte.

Lorsque Pizarre prit possession de Cuzco, il trouva un pays de civilisation très avancée, aux montagnes et hautes terres couvertes de troupeaux, aux vallées fertiles en produits d'une agriculture savante, aux greniers et aux entrepôts richement garnis. Au lieu de profiter des anciennes formes de civilisation, Pizarre préféra en effacer tous les vestiges et élever sur leur ruine les institutions de son pays. Cependant, ces institutions firent peu en faveur du pauvre Indien tenu sous un joug de fer. La religion du Péruvien, qui le portait à l'adoration de cet astre glorieux qui est le meilleur représentant du pouvoir et de la bienfaisance du Créateur, est la forme de superstition la plus pure

qui ait existé parmi les hommes. Pourtant, pour rendre
justice à Pizarre, nous n'insisterons pas seulement sur
les traits négatifs de son caractère. Quand nous considérons les périls qu'il brava, les souffrances qu'il supporta patiemment, les résultats magnifiques obtenus pour
ainsi dire par lui-même, sans le secours du gouvernement, il est impossible, quoiqu'il ne fût ni un bon ni
un grand homme, de ne pas le regarder comme un
personnage extraordinaire.

* * *

La première action des conjurés, après s'être assuré
la possession de la capitale, fut de proclamer la révolution et de demander la reconnaissance du jeune Almagro
comme gouverneur du Pérou. A Cuzco, la ville la plus
importante après Lima, le nombre considérable de
partisans d'Almagro assura le succès à son parti, et ceux
des magistrats qui résistèrent furent chassés de leurs
emplois pour faire place à d'autres, d'un caractère plus
accommodant. Mais cela mécontenta bon nombre d'habitants qui firent appel à l'un des capitaines de Pizarre,
Alvarez de Holguin. Cet officier, entrant dans la ville,
déposséda à leur tour les nouveaux dignitaires et fit
rentrer dans l'ordre l'antique capitale.

Les rebelles éprouvèrent aussi une résistance énergique de la part d'Alonso de Alvarado, l'un des principaux capitaines de Pizarre, qui se trouvait actuellement
dans le nord. Cet officier, en recevant la nouvelle de
l'assassinat de son général, écrivit aussitôt au licencié
Vaca de Castro, l'instruisant de l'état de ses affaires au
Pérou et le pressant de hâter sa marche vers le sud. Ce
fonctionnaire avait été, on le sait, envoyé par la Couronne
pour concourir avec Pizarre à pacifier le pays et était
autorisé à prendre lui-même le gouvernement, en cas
de mort de ce capitaine. Il était étranger au Pérou,
n'avait qu'une connaissance très imparfaite du pays,
point d'armée pour le soutenir et manquait même de la

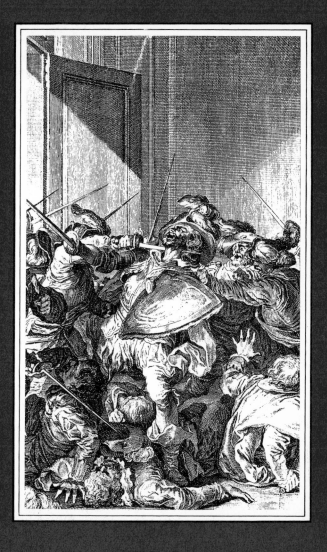

« *Pizarre reçut une blessure à la gorge, chancela et tomba...* » (p. 173).

science militaire nécessaire. Il ne savait rien du degré d'influence d'Almagro ou de l'étendue de l'insurrection.

Dans une telle conjoncture, un esprit plus faible aurait pu écouter les avis de ceux qui lui conseillaient de retourner à Panama et d'y rester jusqu'à ce qu'il eût rassemblé une force suffisante. Mais le courage de Vaca de Castro rejeta une démarche qui eût proclamé son insuffisance pour accomplir la tâche qui lui était imposée. Il eut confiance en ses propres ressources et compta aussi sur la loyauté ordinaire des Espagnols. Après mûre délibération, il résolut de marcher et de se confier aux événements pour accomplir l'objet de sa mission.

Il marcha sur Quito. Il fut bien reçu par le lieutenant de Gonzalo Pizarre, qui était chargé de garder la place en l'absence de son général, parti pour explorer l'Amazone. Le licencié fut rejoint par Benalcazar, le conquérant de Quito, qui amena un petit renfort et offrit de l'assister personnellement dans la poursuite de son entreprise. Il excipa alors de la commission royale qui l'autorisait à prendre le gouvernement en cas de mort de Pizarre. Celui-ci étant mort, Vaca de Castro déclara son intention d'exercer l'autorité. En même temps, il envoya des émissaires dans les principales villes, requérant leur obéissance à lui-même comme légitime représentant de la couronne et ayant soin d'employer dans ses missions des personnes prudentes, dont le caractère devait avoir de l'influence sur leurs concitoyens. Ensuite, il continua lentement sa marche vers le sud.

Tandis que ces événements se passaient dans le nord, la faction d'Almagro à Lima prenait chaque jour de nouvelles forces. Outre ceux qui, dès le début, avaient embrassé ouvertement le parti de son père, il y en avait beaucoup d'autres qui, pour une raison ou une autre, avaient conçu de l'aversion pour Pizarre et maintenant s'enrôlaient volontiers sous la bannière du chef qui l'avait renversé.

La première action du jeune général, ou plutôt de Rada qui dirigeait ses mouvements, fut d'assurer les ressources

nécessaires aux soldats, dont la plupart, réduits longtemps à l'indigence, n'étaient nullement prêts à faire
la guerre. On se procura des sommes considérables en
saisissant les fonds de la Couronne dans les mains du
trésorier. Le secrétaire de Pizarre fut aussi tiré de sa
prison et interrogé sur les lieux où étaient déposés les
trésors de son maître. Il ne donna pas d'éclaircissements
à ce sujet et les conjurés, qui avaient un long arriéré
de brimades à régler avec lui, terminèrent la procédure
en le décapitant publiquement sur la grande place de
Lima. Valverde, évêque de Cuzco, s'interposa vainement
en sa faveur. Il est singulier que ce prélat fanatique ait
paru une dernière fois sur la scène dans une intention
miséricordieuse.

Almagro reçut l'avis que Holguin avait quitté Cuzco
à la tête de près de trois cents hommes avec lesquels il se
préparait à opérer sa jonction avec Alvarado dans le
nord. Il était important pour Almagro d'empêcher cette
jonction. Si la politique de Vaca de Castro était de
différer, celle d'Almagro était évidemment de précipiter
les opérations et d'amener les choses à une issue aussi
prompte que possible, de marcher d'abord contre Holguin
qu'il pouvait espérer vaincre facilement grâce à la
supériorité de ses forces, puis de frapper un second coup
contre Alvarado. Alors, le nouveau gouverneur serait
sans doute à sa merci. Almagro et son parti s'étaient
déjà déclarés contre le gouvernement par un acte trop
atroce et qui atteignait trop directement l'autorité royale
pour que ses auteurs pussent espérer le pardon. Leur
unique chance était de poursuivre hardiment et de
prendre une attitude suffisamment redoutable pour faire
peur au gouvernement. Mais Almagro et ses amis
reculèrent devant cette lutte ouverte contre la Couronne.
Ils avaient pris le parti de la révolte parce qu'elle se
présentait à eux, non parce qu'ils l'avaient souhaitée.
Ils avaient voulu seulement venger les affronts subis
sur Pizarre et non défier l'autorité royale. Après un long
débat, on résolut enfin de marcher contre Holguin et de

couper les communications entre lui et Alonso de Alvarado.

A peine Almagro eut-il commencé sa marche sur Xauxa où il se proposait de livrer bataille à son ennemi, qu'il fut frappé d'un cruel malheur par la mort de Juan de Rada, qui était un homme d'un âge avancé. Sa mort fut pour Almagro une perte incalculable, car il était, par sa grande expérience et son caractère à la fois prudent et courageux, mieux à même qu'aucun autre capitaine de le conduire sûrement parmi les écueils de l'aventure entreprise.

Parmi les cavaliers les plus considérés de l'armée après la mort de Rada, les deux plus ambitieux étaient Christoval de Sotelo et Garcia de Alvarado. Tous deux avaient des talents militaires remarquables, mais le dernier se distingua par une hardiesse présomptueuse. Il s'éleva entre ces deux officiers une jalousie fondée sur un faux principe d'honneur. Ceci fut surtout malheureux pour Amalgro, dont l'inexpérience le portait à chercher un appui chez les autres et qui, dans l'état de division de son conseil, savait à peine à qui le demander. Sa petite armée n'atteignit la vallée de Xauxa qu'après que l'ennemi l'eut dépassée. Almagro le suivit de près, laissant en arrière ses bagages et son artillerie, afin de se mouvoir plus facilement. Mais l'occasion était perdue. Les rivières, grossies par les pluies d'automne, entravaient sa poursuite. Holguin réussit à conduire ses troupes à travers les passages dangereux des montagnes et à effectuer sa jonction avec Alonso de Alvarado, près du port septentrional de Huaura.

Ses projets ayant échoué, Almagro se prépara à marcher sur Cuzco pour prendre possession de cette ville et s'y préparer à rencontrer son adversaire sur le champ de bataille. Sotelo fut envoyé en avant avec un petit détachement. Il ne rencontra aucune opposition de la part des habitants alors sans défense. Le gouvernement de la ville fut remis entre les mains des hommes du Chili et leur jeune chef parut bientôt à la tête de ses bataillons et établit ses quartiers d'hiver dans la capitale inca.

Là, la jalousie des capitaines rivaux éclata en querelle ouverte. Elle finit par la mort de Sotelo, assassiné dans son propre appartement. Almagro, vivement irrité de ce crime, en fut d'autant plus indigné qu'il se sentait trop faible pour punir le coupable. Il commença par étouffer son ressentiment, affectant de traiter le dangereux officier avec faveur. Mais Alvarado ne fut pas dupe de cette conduite. Il sentit qu'il avait perdu la confiance de son général. Voulant se venger, il conspira pour le trahir. Almagro alors imita l'exemple que lui avait donné cet officier en entrant dans sa maison avec une troupe d'hommes armés qui se jetèrent sur le rebelle et le tuèrent sur place.

Almagro essaya ensuite de négocier avec le nouveau gouverneur. Dans l'été de 1542, il envoya une ambassade à ce dernier, alors à Lima, pour éviter de prendre les armes contre un officier de la Couronne. A sa demande, exposée en termes respectueux, Almagro ne reçut pas de réponse.

Frustré dans ses espérances d'un accommodement pacifique, le jeune capitaine comprit qu'il ne lui restait qu'à en appeler aux armes. Ayant rassemblé ses troupes avant de quitter la capitale, il les harangua brièvement. Il fit valoir que l'action projetée n'était pas un acte de rébellion contre la Couronne. Ils y étaient contraints par la conduite du gouverneur lui-même.

« Par le meurtre de Pizarre, dit-il, nous nous sommes fait nous-mêmes la justice qu'on nous refusait ailleurs. Il en est de même aujourd'hui dans notre différend avec le gouverneur royal. Nous sommes des sujets de la Couronne aussi sincères et aussi loyaux que lui. » Et il termina en conjurant les soldats de le soutenir de leurs cœurs et de leurs bras dans la lutte qui s'annonçait.

Cet appel ne s'adressait pas à un auditoire insensible. Les soldats sentirent que leur fortune était liée étroitement à celle de leur chef et qu'ils avaient peu à espérer de l'humeur austère du gouverneur. Ils étaient passionnément attachés à la personne de leur jeune général qui, avec toutes les qualités qui avaient fait la popularité de son père, excitait encore plus de sympathie par son âge et sa solitude. Les officiers et les soldats jurèrent successivement de braver tous les périls avec Almagro et de lui rester fidèles jusqu'à la fin.

Ses effectifs s'étaient peu renforcés depuis son départ de Lima. Il ne réunissait guère que cinq cents hommes en tout. Parmi eux, se trouvaient les vétérans de son père, acclimatés par plus d'une campagne contre les Indiens. Son infanterie, composée de piquiers et d'arquebusiers, était parfaitement armée, mais sa force était dans sa grosse artillerie. La petite armée était bien disciplinée. Se mettant à la tête de sa vaillante troupe, le général sortit des murs de Cuzco vers le milieu de l'été, en 1542, et se dirigea vers la côte, dans l'espoir de rencontrer l'ennemi.

Vaca de Castro, que nous avons laissé à Quito, l'année précédente, s'avançait lentement vers le sud. Son premier acte, après avoir quitté la ville, montra son intention de ne pas transiger avec les assassins de Pizarre. Le gouverneur, en continuant sa marche, fut bien accueilli du peuple sur la route. Lorsqu'il entra dans les villes de San Miguel et de Truxillo, il fut reçu avec enthousiasme. Après avoir séjourné longtemps dans chacune de ces villes, il reprit sa marche et atteignit le camp d'Alonso de Alvarado, à Huaura, au commencement de 1542. Holguin avait établi ses quartiers à quelque distance de son rival. Une jalousie s'était élevée, comme d'ordinaire, entre ces deux chefs qui, tous deux, aspiraient au rang suprême de capitaine-général de l'armée. La charge de gouverneur conférée à Vaca de Castro pouvait sembler impliquer celle de commandant en chef des troupes. Mais de Castro était un juriste; les deux capitaines, alliés mais rivaux, s'imaginaient qu'il confierait le pouvoir militaire à l'un d'entre eux : c'était mal connaître le caractère de l'homme.

Le gouverneur savait qu'en avouant son ignorance et en résignant sa conduite des affaires militaires, il diminuerait beaucoup son autorité et se ferait mépriser par les esprits turbulents qui l'entouraient. Il avait de la sagacité et du courage. Il espéra pouvoir suppléer à ce qui lui manquait par l'expérience des autres. Il savait que la seule manière de calmer la jalousie des deux parties dans la crise actuelle était de s'attribuer lui-même la charge qui causait leurs dissensions. Il manœuvra ses ambitieux officiers avec beaucoup de précaution et les amena en peu de temps à abandonner leurs prétentions en sa faveur. Holguin, le moins raisonnable des deux, se rendit même avec lui au camp de son rival où le gouverneur eut la satisfaction de le réconcilier avec Alonso de Alvarado. L'harmonie ainsi rétablie, sa commission fut lue à haute voix par le secrétaire, et la petite armée lui promit obéissance comme au représentant de la Couronne.

Le premier acte de Vaca de Castro fut d'envoyer la plus grande partie de ses forces dans la direction de Xauxa, tandis qu'à la tête d'un petit détachement, il marchait vers Lima. Il y fut reçu avec de vives démonstrations de joie. En effet, les habitants s'étaient empressés, après le départ d'Almagro, de chasser ses hommes de la municipalité et de proclamer leur fidélité au gouverneur légal. Trouvant des dispositions favorables à son égard, celui-ci obtint des habitants riches un prêt d'argent considérable. Il prolongea quelque temps son séjour et augmenta ses forces d'un corps de recrues considérable.

Au milieu de ces occupations, il reçut la nouvelle que l'ennemi était sorti de Cuzco et marchait vers la côte. Quittant donc Los Reyes avec ses partisans, Vaca de Castro marcha d'abord sur Xauxa, lieu fixé pour le rendez-vous. A Xauxa, il reçut une ambassade de Gonzalo Pizarre, revenu de son expédition au « pays de la cannelle », par laquelle ce chef lui offrait ses services dans la lutte. La réponse du gouverneur montra qu'il n'était pas absolument éloigné de traiter avec Almagro, pourvu que la chose fût possible sans compromettre l'autorité royale. Il voulait éviter l'épreuve finale d'une bataille dont l'issue pouvait être douteuse. En conséquence, il envoya un messager vers Gonzalo, le remerciant de son empressement à le secourir, mais refusant courtoisement ses offres et lui conseillant de rester dans sa province pour s'y remettre des fatigues de sa pénible expédition. En même temps il l'assurait qu'il aurait recours à ses services quand l'occasion s'en présenterait. Le fier cavalier fut extrêmement vexé de ce refus.

Le gouverneur reçut alors un rapport sur les mouvements d'Almagro qui lui fit supposer qu'il se préparait à occuper Guamanga, place très forte, à trente lieues environ de Xauxa. Désireux de s'assurer de cette position, il leva son camp et, à marches forcées, il réussit à devancer Almagro et se jeta dans la place pendant que son adversaire était à Bilcas, environ à dix lieues de là.

A Guamanga, Vaca de Castro reçut une autre ambassade d'Almagro, ayant le même objet que la précédente. Le jeune chef déplorait de nouveau l'hostilité entre des frères de la même famille et proposait de mettre fin à la querelle. Le gouverneur daigna alors répondre à ces propositions. Il ne voulait qu'amuser son ennemi par une apparence de négociation, pendant qu'il gagnait du temps en vue d'ébranler la fidélité des troupes rebelles. Il insistait pour qu'Almagro lui livrât tous ceux qui étaient impliqués dans la mort de Pizarre. A ces conditions, le gouverneur lui pardonnerait sa trahison et il serait réintégré dans la faveur royale. Almagro exposa la proposition à ses capitaines. Ils demandèrent que toutes négociations fussent rompues et qu'on les conduisît aussitôt contre l'ennemi.

Cependant, le gouverneur, trouvant le pays au relief tourmenté qui entourait Guamanga défavorable à sa cavalerie, sur laquelle il comptait principalement, amena ses forces sur les basses terres voisines, connues sous le nom des plaines de Chupas. Enfin, le 16 septembre 1542, les éclaireurs apportèrent la nouvelle que les troupes d'Almagro s'avançaient avec l'intention apparente d'occuper les hauteurs. Le camp royal fut de bonne heure en mouvement. Vaca de Castro, désireux de s'assurer les hauteurs qui commandaient la vallée, détacha dans ce but un corps d'arquebusiers, soutenu par un parti de cavalerie qu'il suivit bientôt avec le reste de ses forces. L'après-midi était avancé. Le gouverneur hésita à engager la bataille avant la nuit. Mais Alonso de Alvarado l'assura que le moment était favorable; ses soldats étaient pleins d'une ardeur qu'il ne fallait pas laisser refroidir. Le gouverneur suivit ce conseil. Il rangea sa petite armée en bataille et prit ses dispositions pour l'attaque. Il adressa quelques mots à ses soldats, pour prévenir les hésitations de quelques-uns. Il fit lire le jugement des traîtres en vertu duquel Almagro et ses compagnons avaient perdu leurs vies et leurs biens. Ayant achevé ses dispositions de la manière la plus judicieuse et la plus militaire, Vaca de Castro donna l'ordre de marcher.

La disposition des troupes d'Almagro ne différait pas de celle de son adversaire. Au centre était son excellente artillerie, couverte par ses arquebusiers et ses lanciers. Sa cavalerie était rangée sur les flancs. Il se proposait de conduire en personne les troupes de la gauche. Il avait astucieusement choisi sa position.

Ébranlé par les décharges, Vaca de Castro vit la difficulté de s'avancer à découvert sous le tir de la batterie ennemie. Il entreprit donc de conduire les soldats par un chemin détourné, mais plus sûr. Il eût été heureux pour Almagro qu'il restât immobile sur la position qui lui donnait un tel avantage. Il crut indigne d'un brave chevalier d'attendre passivement l'attaque et ordonna à ses hommes de charger. Les escadrons ennemis, s'avançant rapidement l'un contre l'autre, se rencontrèrent au milieu de la plaine. Le choc fut terrible. Chevaux et cavaliers chancelèrent. Les lances volèrent en éclats. Les armes excellentes du parti d'Almagro compensaient l'infériorité du nombre, mais ceux de l'armée royale se donnèrent un certain avantage en frappant les chevaux et non les cavaliers couverts de cottes de mailles.

Les ombres s'épaississaient sur le champ de bataille. Mais une lutte à mort continuait dans l'obscurité. Les bannières, blanches ou rouges, indiquaient les partis respectifs et leurs cris de guerre s'élevaient au-dessus du bruit. Holguin, qui commandait la gauche des royalistes, était mort, percé de deux balles au commencement de l'action. Cependant, un corps de cavaliers soutenait si vaillamment le combat de ce côté, que les gens d'Almagro eurent de la peine à conserver le terrain.

Il en allait autrement à l'aile droite, où commandait Alonso de Alvarado. Il eut devant lui Almagro en personne qui combattait d'une manière digne de son nom. Alvarado résistait avec un courage indomptable, mais ses forces diminuaient, et il cédait lentement du terrain à son ennemi qui avait déjà conquis deux des bannières royales. Mais, à ce moment critique, Vaca de Castro qui avait occupé une éminence d'où il dominait le champ de bataille, comprit que le moment était venu pour lui de prendre part au combat. Suivi de ses soldats, il se dirigea hardiment au cœur de la mêlée, au secours de son brave officier. L'arrivée sur le champ de bataille d'un corps de troupes fraîches changea le sort des armes. Les hommes d'Alvarado reprirent courage et se regroupèrent. Pourtant, treize des cavaliers de Vaca de Castro tombèrent encore. Mais ce fut le dernier effort des partisans d'Almagro. La force leur manqua, et ils se débandèrent, en dépit des efforts d'Almagro pour les arrêter. Il était neuf heures quand la bataille cessa, mais on entendit encore longtemps des coups de feu dans la campagne.

Le gouverneur fit sonner les trompettes et rappela ses troupes dispersées sous leurs bannières. Toute la nuit, elles restèrent en armes sur le champ de bataille. Le lendemain matin, Vaca de Castro ordonna que ceux des blessés que le froid de la nuit n'avait pas fait périr fussent confiés aux soins des chirurgiens, tandis que les prêtres s'occupaient à confesser et donner l'absolution aux mourants. On évalue le nombre des morts à trois cents, peut-être cinq cents. Les pertes furent plus élevées chez les vainqueurs qui souffrirent davantage du canon de l'ennemi avant l'action.

Vaca de Castro établit à Guamanga, pour juger les prisonniers, une commission ayant à sa tête le licencié de la Gama et la justice ne fut satisfaite qu'après que quarante d'entre eux eurent été condamnés à mort et trente autres bannis. Le gouverneur s'achemina vers Cuzco où il entra à la tête de ses bataillons victorieux avec toute la pompe et l'appareil militaire d'un conquérant. Son premier acte fut de décider du sort de son prisonnier Almagro. Un conseil de guerre fut tenu. Quelques-uns voulaient épargner ce malheureux, en considération de sa jeunesse et de la provocation qu'il avait subie. Mais la majorité fut d'avis qu'une telle clémence ne pouvait s'étendre au chef des rebelles et que sa mort était indispensable à la tranquillité durable du pays.

Lorsqu'il fut conduit au supplice, sur la grande place de Cuzco, Almagro montra un calme parfait. Cependant, lorsque le héraut lut à haute voix l'arrêt de trahison, il nia avec indignation qu'il fût un traître. Il n'en appela pas à la pitié de ses juges mais il demanda seulement que ses restes fussent déposés auprès de ceux de son père. Le sort du fils excite une sympathie plus profonde que celui du père, et pas seulement à cause de sa jeunesse et des circonstances particulières de sa situation. Il avait été l'enfant du malheur et avait subi plus d'affronts qu'il n'en avait faits. Avec lui s'éteignit le nom d'Almagro : le parti du Chili, qui avait si longtemps terrorisé le pays, disparut pour toujours.

CHAPITRE 3

La révolte du dernier Pizarre

À Cuzco, le gouverneur apprit que Gonzalo Pizarre était arrivé à Lima où il se montrait fort mécontent de l'état des choses au Pérou. Il se plaignait hautement que le gouvernement du pays, après la mort de son frère, n'eût pas été remis dans ses mains et, d'après certains, il formait le projet de s'en emparer. Vaca de Castro savait bien qu'il ne manquerait pas de mauvais conseillers pour pousser Gonzalo à cette entreprise désespérée et, désirant éteindre l'étincelle de l'insurrection avant qu'elle se fût développée sous l'influence de ces esprits turbulents, il envoya un fort détachement à Lima pour s'assurer de cette capitale. En même temps, il manda Gonzalo Pizarre à Cuzco.

Ce chef ne jugea pas prudent de désobéir et entra dans la capitale des Incas à la tête d'un corps de cavaliers bien armés. Il fut admis aussitôt en présence du gouverneur. Gonzalo Pizarre, ne trouvant aucun sujet de querelle avec le froid et habile gouverneur et sentant qu'il n'était pas actuellement en force pour soutenir la lutte, jugea prudent de se retirer à La Plata où il s'occupa d'exploiter ses riches mines d'argent.

Vaca de Castro s'occupa alors de prendre des mesures pour l'organisation du pays. Son premier soin fut de promulguer des lois pour améliorer le gouvernement de la colonie. Il s'occupa spécialement de l'état de la population indienne et il fonda des écoles pour lui enseigner le christianisme. Il restreignit les repartimientos excessifs entre les conquérants. Ce dernier acte lui attira beaucoup de haine de la part de ceux qui en furent l'objet. Mais ces mesures étaient si justes et si impartiales qu'il fut soutenu par l'opinion publique.

En réalité, la conduite de Vaca de Castro, depuis son arrivée dans le pays, commandait le respect. Sans fonds, sans troupes, il avait trouvé le pays, à son débarquement, dans un état d'anarchie. Par son courage et son habileté, il avait peu à peu acquis une force suffisante pour étouffer l'insurrection. Il avait montré un courage indomptable et de la présence d'esprit à l'heure de l'action. Il regardait la révolte comme un crime impardonnable et sa nature austère était sans pitié dans l'exercice de la justice. Dans ses règlements ultérieurs sur le gouvernement, il montra autant d'impartialité que de sagesse.

Depuis son avènement au trône, Charles-Quint s'était surtout occupé de la politique européenne où son ambition trouvait plus d'attrait que ne pouvait lui en offrir une lutte avec les princes barbares du Nouveau Monde. Il avait donc laissé grandir de ce côté un empire dont l'étendue surpassait celle de ses domaines d'Europe. Les terres et les êtres des races conquises furent partagés et les vainqueurs se les approprièrent comme les fruits légitimes de la victoire. Chaque jour se commettaient des horreurs qui nous font frémir maintenant.

Ces affreux excès, bien qu'ils n'atteignissent nulle part sur le continent ceux commis dans les îles, furent

cependant assez grands au Pérou pour appeler la vengeance du Ciel sur la tête de leurs auteurs. L'Indien
put comprendre que cette vengeance ne serait pas plus
longtemps différée quand il vit ses oppresseurs se dispu-
tant leur lamentable proie et tournant leurs épées les uns
contre les autres. La passion dominante de l'Espagnol
était l'amour de l'or. Pour cela, il ne reculait lui-même
devant aucune fatigue et il exigeait, sans pitié, le travail
de l'Indien, son esclave. Malheureusement, le Pérou
abondait en mines qui récompensaient trop bien ce
travail, et la vie des hommes était ce qui comptait le
moins aux yeux des conquérants. Le pauvre Indien,
sans nourriture, sans vêtements, errait maintenant nu
et à moitié mort de faim. Ceux-là mêmes qui avaient aidé
les Espagnols dans la conquête n'avaient pas une condition meilleure, et plus d'un noble inca errait en men-
diant sur les terres qu'il avait autrefois gouvernées.

En 1541, Charles-Quint, qui avait été très occupé par
les affaires d'Allemagne, revint dans le royaume de ses
ancêtres où son attention fut appelée impérativement sur
l'état des colonies. Plusieurs mémoires qui s'y rapportaient furent mis sous ses yeux, mais aucun ne lui fit
autant d'impression que celui de Las Casas. Une assemblée, composée principalement de juristes et de théolo-
giens, fut convoquée à Valladolid afin de préparer un
système de lois pour le gouvernement des colonies
américaines. Le résultat de ses délibérations fut un code
d'ordonnances qui, d'ailleurs, loin d'être limité aux
besoins des indigènes, se rapportait particulièrement à la
population européenne et aux convulsions du pays. Les
Indiens furent déclarés vassaux fidèles et loyaux de la
Couronne et, comme tels, leur liberté fut pleinement
reconnue. Tous ceux qui, par leur négligence ou par leurs
mauvais traitements, se seraient montrés indignes
d'avoir des esclaves, en seraient privés. Les Indiens
seraient taxés modérément, ils ne seraient pas forcés de
travailler quand ils ne le voudraient pas. Il fut déclaré
que les repartimientos de terres, souvent excessifs,

seraient réduits le cas échéant si les propriétaires s'étaient rendus coupables de mauvais traitements envers leurs esclaves. On résolut d'autre part d'envoyer dans ce pays un vice-roi qui serait armé de pouvoirs propres à en faire un représentant plus convenable du souverain. Il devait être accompagné d'une Audience royale, composée de quatre juges, revêtus de pouvoirs étendus de juridiction civile et criminelle.

La nouvelle de ces ordonnances parvint aux colons par nombre de lettres de leurs amis d'Espagne. Les colons s'effrayèrent de la perspective de ruine qui les attendait. Au Pérou particulièrement, il n'y avait pas un individu qui pût espérer échapper à l'effet de la loi. Tout le pays fut en émoi. Le gouverneur, Vaca de Castro, considérait avec la plus profonde douleur l'orage qui s'amassait de tous côtés. Les habitants, maintenant, imploraient la protection du gouverneur contre la tyrannie de la cour. Il leur conseilla de nommer, pour soutenir leur pétition à la couronne, des députés qui représenteraient l'impossibilité d'appliquer le projet actuel de réforme et en demanderaient le renvoi, et il les conjura d'attendre patiemment l'arrivée du vice-roi dont on pourrait obtenir la suspension des ordonnances jusqu'à ce qu'on pût recevoir des instructions ultérieures de Castille. Il fut alors assiégé de sollicitations. On le pressait d'intervenir auprès de la Couronne et de protéger les colons contre les ordonnances oppressives.

Gonzalo Pizarre était à Charcas, fort occupé à explorer les riches veines de Potosi dont les mines d'argent venaient d'être découvertes. Il reçut des lettres de Vaca de Castro, l'invitant à ne pas se laisser détourner de sa tâche par quelques projets rigoureux de réforme. Pour réprimer davantage les désordres, il ordonna à ses alcades d'arrêter tout homme coupable de discours séditieux. La populace fut intimidée, et il y eut un apaisement temporaire. Tous attendaient avec anxiété l'arrivée du vice-roi.

La personne choisie pour occuper cette position

difficile était un chevalier d'Avila, nommé Blasco Nuñez
Vela. Il avait rempli quelques emplois de confiance à la
satisfaction de Charles-Quint. Le monarque écrivit de sa
propre main à Vaca de Castro une lettre dans laquelle
il remerciait cet officier de ses services passés et lui
ordonnait, après qu'il aurait fait profiter le nouveau
vice-roi des fruits de sa grande expérience, de revenir
en Castille reprendre son siège au Conseil royal.

Vers le milieu du mois de janvier suivant, en 1544,
le vice-roi, après une heureuse traversée, débarqua à
Nombre de Dios. Il y trouva un vaisseau chargé d'argent
provenant des mines du Pérou, prêt à faire voile pour
l'Espagne. Son premier acte fut d'y mettre l'embargo
au nom du gouvernement, parce qu'il renfermait le
produit du travail servile. Il alla ensuite à Panama et
donna un gage certain de sa politique future en faisant
délivrer et renvoyer dans leur pays trois cents Indiens
qui avaient été amenés du Pérou par leurs maîtres. Les
juges de l'Audience combattirent fortement cette attitude
et le supplièrent de ne pas exécuter sa mission avec
autant de précipitation. Blasco Nuñez répondit froidement qu'il n'était pas venu pour capituler sur l'exécution
des lois ni pour en discuter le mérite, mais pour les
appliquer, et qu'il les appliquerait à la lettre, quelles
qu'en puissent être les conséquences. Les juges virent
bien que la discussion était inutile.

Laissant l'Audience, le vice-roi continua sa route et,
descendant la côte du Pacifique, il débarqua à Tumbez le
4 mars. Il fut bien reçu par les habitants fidèles. Son
autorité fut proclamée publiquement et le peuple fut
intimidé par le déploiement d'une magnificence et d'une
pompe qu'on n'avait pas encore vues au Pérou. Mais le
pays fut jeté dans la consternation par le bruit des actes
du vice-roi et de ses propos si peu mesurés, que l'on
faisait avidement circuler et souvent, sans doute, en les
exagérant. Une députation d'habitants de Cuzco, alors
à Lima, pressa fortement le peuple de lui fermer les portes
de cette capitale. Mais Vaca de Castro avait aussi quitté

Cuzco pour venir à Lima, au premier avis de l'approche
du vice-roi, et il engagea les habitants à ne pas dévier
de leur fidélité. Mais la plupart des Espagnols avaient
peu de confiance dans ce côté officiel. Ils se tournèrent
alors vers Gonzalo Pizarre, l'invitant à se faire leur
protecteur. Ces sollicitations trouvèrent un accueil
favorable. Son frère Fernand languissait toujours en
prison et lui-même allait maintenant être sacrifié comme
la première victime de ces fatales ordonnances. Assem-
blant dix-huit ou vingt cavaliers de confiance et prenant
une grande quantité d'argent tiré des mines, il accepta
l'invitation de se rendre à Cuzco.

L'étincelle de l'ambition était allumée dans le cœur
de Pizarre. Il se sentait fort de l'affection du peuple. Il
demanda la permission de lever et d'organiser une force
armée, avec le titre de capitaine général. Ses vues étaient
entièrement pacifiques, mais il n'était pas sûr, à moins
d'être fortement protégé, de les faire accepter. Les amis
de Pizarre soutenaient, de plus, que cette force était
nécessaire pour délivrer le pays de leur ancien ennemi,
l'Inca Manco, qui se tenait dans les montagnes voisines.
La municipalité hésita longtemps à conférèr des pouvoirs
qui allaient bien au-delà de son autorité légitime. Mais
Pizarre déclara son intention, en cas de refus, de décliner
le titre de délégué et les efforts de ses partisans, soutenus
par ceux du peuple, firent taire enfin les scrupules des
magistrats qui accordèrent à ce chef ambitieux le commandement auquel il aspirait.

Pendant ces événements, Blasco Nuñez, le vice-roi,
s'avançait vers Lima. Son premier acte fut de faire
proclamer sa résolution concernant les ordonnances.
L'appréhension publique était loin d'être calmée. Des
cabales se formèrent à Lima et des liaisons furent prises
avec les différentes villes. Aucune méfiance cependant ne
s'élevait dans l'esprit du vice-roi. Lorsqu'il fut informé
des préparatifs de Gonzalo Pizarre, il ne prit d'autre
mesure que d'envoyer un message à son camp, lui
annonçant les pouvoirs extraordinaires dont il était

investi et ordonnant à ce chef de licencier ses troupes. Il semblait croire qu'un simple mot de lui suffirait pour dissiper la rébellion. Mais il ne fallait pas qu'un souffle pour disperser les soldats aguerris du Pérou.

Cependant, Gonzalo Pizarre s'occupait avec ardeur de réunir son armée. Il employa tout l'argent qu'il possédait à équiper ses hommes et à pourvoir aux besoins de la marche et, pour combler le déficit, il ne se fit aucun scrupule d'utiliser les fonds du trésor royal. Après avoir adressé une courte harangue à ses troupes, en insistant sur le caractère pacifique de son entreprise, il quitta la capitale.

Avant de partir, il reçut un renfort en la personne du vétéran Francisco de Carbajal. Bientôt après avoir quitté Cuzco, Pizarre apprit la mort de l'Inca Manco. Il avait été massacré par un parti d'Espagnols de la faction d'Almagro, tous tués à leur tour par les Péruviens. La mort de l'Inca Manco ne doit pas être passée sous silence dans l'histoire du Pérou. Il fut le dernier de sa race animé de l'esprit héroïque des anciens Incas. Quoique placé sur le trône par Pizarre, loin d'être un pantin à sa disposition, Manco fit bientôt voir qu'il distinguait son sort de celui des vainqueurs. En attaquant sa propre capitale de Cuzco, dont une si grande partie fut détruite, il fit subir un échec aux armes de Pizarre et, pendant une saison, balança le destin des conquérants. Vaincu par son adversaire, il se retira dans les forteresses naturelles de ses montagnes. Se portant rapidement d'un lieu à l'autre, il échappait aux poursuites dans les solitudes des Cordillères. L'Inca Manco fit de son nom la terreur des Espagnols. Souvent, ils lui proposèrent un arrangement, mais Manco ne se fiait pas aux promesses des Blancs, et il aimait mieux conserver sa sauvage indépendance. La mort de l'Inca ôta un prétexte important aux préparatifs militaires de Pizarre.

A Guamanga, Pizarre fut reçu à bras ouverts par les habitants dont plusieurs s'enrôlèrent avec empressement

sous sa bannière, car, apprenant de tous côtés le caractère inflexible du vice-roi, ils tremblaient pour leurs
biens. Blasco Nuñez se défiait de tous ceux qui l'entouraient. Malheureusement, ses soupçons tombèrent sur
ceux qui méritaient le plus sa confiance. Parmi eux se
trouvait son prédécesseur, Vaca de Castro. Blasco
Nuñez eût pu tirer profit de ses conseils. Mais il était
trop fier de son rang et de sa sagesse pour écouter les
conseils d'un prédécesseur. Ce dernier, soupçonné par le
vice-roi d'entretenir une correspondance secrète avec ses
ennemis de Cuzco, fut arrêté et confiné à bord d'un
vaisseau. Cette mesure violente fut suivie de l'arrestation
et de l'emprisonnement de plusieurs autres chevaliers.

Le vice-roi se prépara à la guerre avec vigueur. Son
premier soin fut de mettre la capitale en état de défense
en développant ses fortifications et en barricadant les
rues. Il ordonna l'enrôlement général des citoyens et leva
des contingents dans les villes voisines, mesure qui fut
accueillie froidement. Pendant que se faisaient ces
préparatifs, les juges de l'Audience arrivèrent à Lima.
Ils désapprouvèrent entièrement ces diverses mesures,
et rompirent aussitôt tous leurs rapports avec le vice-roi.
Il y avait, dans l'Audience, un homme de loi nommé
Cepeda, homme rusé et ambitieux, très instruit dans sa
profession et encore plus habile dans l'intrigue. Il ne
dédaignait pas les bas artifices d'un démagogue pour
gagner la faveur de la populace, et il espérait trouver
avantage à développer la mésentente avec Blasco Nuñez.
Un chevalier de la ville, nommé Suarez de Carbajal, qui
avait été longtemps un fonctionnaire du gouvernement,
encourut le courroux du vice-roi. L'altercation s'échauffa
au point que, emporté par la colère, Blasco Nuñez le
frappa mortellement de son poignard. Extrêmement
inquiet des conséquences de son acte irréfléchi, il ordonna
que le cadavre fût enlevé de la maison par un escalier
dérobé et porté à la cathédrale où, enveloppé de son
manteau sanglant, il fut déposé dans un tombeau creusé
à la hâte pour le recevoir. Un événement aussi tragique

ne pouvait rester longtemps secret. Le tombeau fut ouvert et les restes du chevalier assassiné confirmèrent le crime du vice-roi.

Blasco Nuñez ressentait maintenant son isolement. Se tenant, pour ainsi dire, séparé de ses compagnons, méprisé par l'Audience, trahi par ses soldats, il comprenait les conséquences de sa mauvaise conduite. Il décida d'abandonner la capitale et de se retirer à Truxillo, à quatre-vingts lieues environ. On ne voit pas clairement quel fut le but du vice-roi en opérant ce mouvement, sinon peut-être gagner du temps. Mais il devait rencontrer l'opposition catégorique des juges. Ils prétendirent qu'il n'avait pas de pouvoir pour un acte de cette nature et que l'Audience ne pouvait légitimement siéger hors de la capitale. Blasco Nuñez persista dans sa détermination, menaçant d'employer la force si cela était nécessaire. Les juges rassemblèrent une troupe pour leur propre protection et rendirent le même jour un décret d'arrestation contre le vice-roi.

Blasco Nuñez fut informé des préparatifs hostiles des juges peu avant la nuit. Il convoqua aussitôt ses partisans au nombre de plus de deux cents, revêtit son armure et se prépara à marcher à la tête de ses troupes contre l'Audience. Mais il céda aux objurgations de son frère et d'autres amis qui le dissuadèrent d'exposer témérairement sa vie. Ce que Blasco Nuñez ne fit pas, les juges le firent : ils sortirent à la tête de leurs hommes. Quand leur troupe arriva devant le palais du vice-roi, celui-ci donna l'ordre de faire feu des fenêtres et une volée de mousqueterie passa au-dessus des têtes. Personne ne fut blessé. La plus grande partie des soldats du vice-roi, avec la plupart des officiers, se joignirent ouvertement à la populace. Le palais fut alors forcé et livré au pillage. Blasco Nuñez, abandonné de tous, se rendit aux assaillants. Il fut envoyé sous bonne garde dans une île voisine. On le déclara déchu de son office. Un gouvernement provisoire, composé de l'Audience même, ayant à sa tête Cepeda, fut établi, et son premier acte fut de suspendre les ordonnances détestées, jusqu'à ce qu'on pût recevoir des instructions de la cour. Il fut résolu qu'on enverrait Blasco Nuñez avec un des juges en Espagne, pour expliquer à l'Empereur la nature des derniers troubles, en justifiant les mesures de l'Audience. Alvarez fut choisi pour accompagner le vice-roi.

Il restait encore à l'Audience un adversaire plus expérimenté, dans la personne de Gonzalo Pizarre qui s'était avancé jusqu'à Xauxa. Les juges lui envoyèrent une ambassade et lui apprirent la révolte qui avait eu lieu, ainsi que la suspension des ordonnances. Ils le requéraient de prouver son obéissance en licenciant ses troupes et de se retirer pour jouir de ses biens. Le messager des juges fut renvoyé avec la réponse que « le peuple avait appelé Gonzalo Pizarre au gouvernement du pays et que si l'Audience ne l'en investissait pas sur-le-champ, la ville serait livrée au pillage ». Aussitôt, les juges de l'Audience invitèrent Gonzalo Pizarre à entrer dans la ville, déclarant que la sécurité du pays et le bien général exigeaient que le gouvernement fût placé entre ses mains.

Le 24 octobre 1544, Pizarre fit son entrée en ordre de bataille. Les serments officiels furent régulièrement prêtés et il fut proclamé gouverneur et capitaine général du Pérou, jusqu'à ce que le bon plaisir de Sa Majesté à l'égard du gouvernement pût être connu. Le premier acte de Gonzalo Pizarre fut de faire arrêter les personnes qui avaient joué le rôle le plus actif contre lui dans les derniers troubles. Il remplit de ses partisans le corps municipal de Lima. L'Audience royale n'exista plus que de nom, car ses pouvoirs furent promptement absorbés par le nouveau chef, qui désirait donner au gouvernement les mêmes pouvoirs que sous le marquis, son frère. Alvarez avait été envoyé en Castille avec le vice-roi. Cepeda se contentait de n'être qu'un instrument entre les mains du chef militaire qui l'avait déplacé. Zarate, le troisième juge, était confiné chez lui par une maladie très grave.

Mais voici que le navire de Cepeda disparut soudainement du port. C'était celui à bord duquel Vaca de Castro était prisonnier. Cet officier, ne voulant pas se fier à la tolérance d'un homme dont il avait jadis repoussé les avances, avait engagé le capitaine à faire voile avec lui pour Panama. De là, il traversa l'isthme et s'embarqua pour l'Espagne, où il fut accusé d'avoir pris des mesures despotiques sans se soucier des droits des colons ou des indigènes, d'avoir détourné les deniers publics et de revenir en Castille après avoir rempli ses coffres. Le gouverneur fut arrêté et conduit à la forteresse d'Arevalo. Il fut détenu pendant douze ans au bout desquels il fut acquitté de toutes les charges retenues contre lui.

Gonzalo Pizarre devait avoir une grande déception avec le retour de Blasco Nuñez. Le vaisseau qui emmenait ce dernier avait à peine quitté le rivage, que le juge Alvarez, soit remords, soit crainte des conséquences auxquelles il s'exposait en ramenant le vice-roi en Espagne, se présenta devant lui et lui annonça qu'il n'était plus prisonnier. Il s'excusa du rôle qu'il avait joué et mit le vaisseau à sa disposition, l'assurant qu'il le conduirait partout où il voudrait. Le vice-roi profita avec empressement de son offre. Il résolut d'aller à Quito qui, tout en faisant partie de sa juridiction, était encore assez éloigné du théâtre des derniers troubles. Le vice-roi et sa suite débarquèrent à Tumbez vers le milieu d'octobre 1544. Là, en quelques semaines, il se trouva à la tête de cinq cents hommes, cavaliers et fantassins, mal équipés, mais apparemment dévoués à sa cause. Se trouvant suffisamment fort pour commencer les opérations actives, il sortit alors pour attaquer plusieurs des capitaines de Pizarre qui se trouvaient dans les environs et sur lesquels il obtint quelques avantages qui renforcèrent sa confiance et lui firent espérer de rétablir son ascendant sur le pays.

Pendant ce temps, Gonzalo Pizarre n'était pas inactif. Il avait surveillé avec anxiété les mouvements du vice-roi et se convainquit que le moment était venu d'agir et de déloger son rival. Il plaça une forte garnison à Lima, sous les ordres d'un officier dévoué, et, après avoir envoyé en avant par terre un détachement de près de six cents hommes à Truxillo, il s'embarqua lui-même pour ce port le 4 mai 1545, le jour même du départ du vice-roi de Quito.

A Truxillo, Pizarre se mit à la tête de sa petite armée et marcha sans perdre de temps contre San Miguel. Son rival aurait voulu sortir pour lui livrer bataille, mais ses soldats étaient des recrues jeunes et sans expérience, rassemblées à la hâte et intimidées par le nom de Pizarre. Ils insistèrent hautement pour être conduits dans le haut pays où ils seraient renforcés par Benalcazar, et leur malheureux chef dut modifier ses plans en conséquence.

En arrivant à San Miguel, Pizarre fut mortifié de constater que son adversaire était parti. Sans entrer dans la ville, il précipita sa marche et atteignit la lisière d'une chaîne de montagnes où Blasco Nuñez s'était engagé peu d'heures auparavant. Pizarre connaissait l'importance du facteur rapidité. Il envoya en avant Carbajal avec un détachement de troupes légères à la poursuite des fugitifs. Ce capitaine réussit à atteindre leur bivouac dans les montagnes, à minuit. Éveillés par la trompette que l'ennemi avait imprudemment fait sonner, le vice-roi et ses hommes se levèrent, montèrent à cheval, saisirent leurs arquebuses et envoyèrent une telle décharge dans les rangs des assaillants que Carbajal, dérouté par cet accueil, trouva prudent de battre en retraite, vu l'infériorité de ses forces. Le vice-roi le suivit jusqu'à ce que, craignant une embuscade dans l'obscurité, il se retirât et permît à son adversaire de rejoindre le gros de l'armée que commandait Pizarre.

Cette conduite de Carbajal est inexplicable. Mais Pizarre, quoique vivement irrité, mettait trop de prix à ses services et à sa fidélité pour lui en vouloir. Carbajal, désireux de réparer sa faute, fut placé de nouveau à la tête d'un corps de troupes légères, avec pour instructions de harceler la marche de l'ennemi, couper ses approvisionnements et le tenir en échec, s'il était possible, jusqu'à l'arrivée de Pizarre.

Le vice-roi avait profité du répit pour prendre beaucoup d'avance sur ses ennemis. Chaque jour, ses troupes poursuivaient leur marche à travers cette région désolée. Carbajal, cependant, les serrait de si près que leurs bagages, leurs munitions et quelquefois leurs mules, tombaient entre ses mains. L'infatigable guerrier était toujours sur leurs traces, jour et nuit, les laissant à peine souffler.

Les souffrances de Pizarre et de ses troupes n'étaient guère moindres que celles du vice-roi. Les angoisses du général étaient affreuses. Les scènes horribles de l'expédition de l'Amazone se répétaient. On doit avouer que les soldats de la conquête ont payé chèrement leurs triomphes.

Cependant, le vice-roi avait une cause d'inquiétude plus grande, peut-être, que les souffrances physiques. C'était la défiance de ses propres partisans. Il soupçonnait plusieurs des cavaliers de sa suite d'être en correspondance avec l'ennemi et même de vouloir le livrer entre ses mains. Il en était à ce point convaincu, qu'il fit mettre à mort deux de ses officiers. Un autre cavalier, qui avait exercé le commandement principal sous le vice-roi, fut exécuté, après un examen plus en règle de son affaire, au premier endroit où l'armée s'arrêta. Il est impossible de savoir à quel point les soupçons du vice-roi étaient fondés. A en juger par son caractère jaloux et irritable, nous pourrions supposer qu'il a agi sans motif suffisant. Que les soupçons du vice-roi fussent ou non fondés, l'effet en fut le même sur son esprit. Poursuivi par un ennemi qu'il n'osait combattre, entouré de partisans à qui il n'osait se fier, ses déboires semblaient à leur comble. Enfin, il atteignit une région moins dangereuse et, traversant Tome-bamba, il fit sa rentrée dans la capitale septentrionale de Quito. Mais il y fut reçu moins cordialement que la première fois. Il arrivait maintenant en fugitif, poursuivi par un ennemi puissant.

Secouant de ses pieds la poussière de cette ville
déloyale, le malheureux chef continua sa route vers
Pastos, dans la juridiction de Benalcazar. Pizarre entra
peu de temps après à Quito avec ses troupes, désappointé de voir que, malgré sa diligence, l'ennemi lui
échappait toujours. Il s'arrêta seulement pour laisser
souffler ses soldats et continua sa marche. A Pastos,
il faillit le rejoindre et le poursuivit quelques lieues au-
delà de Pastos. Sur le territoire de Benalcazar, il fit halte
et ordonna la retraite en faisant une rapide contre-
marche sur Quito. Là, il s'occupa de ranimer l'ardeur
de ses troupes et de réunir de nouveaux renforts qui
grossirent beaucoup son armée. Il la diminua de nouveau
en détachant un corps sous les ordres de Carbajal, afin de
réprimer une insurrection qui avait éclaté dans le sud.
Elle était dirigée par Diego de Centeno, l'un de ses
officiers qu'il avait établi à La Plata. Les habitants de
cette ville s'étaient joints à la révolte et avaient arboré
l'étendard de la couronne. Avec le reste de ses forces,
Pizarre résolut de rester à Quito, attendant le moment
où le vice-roi voudrait rentrer dans son gouvernement.

Cependant, Blasco Nuñez avait continué sa retraite
jusqu'à Popayan, capitale de la province de Benalcazar.
Il y fut accueilli favorablement par le peuple et ses
soldats se reposèrent des fatigues excessives d'une
marche de deux cents lieues.

Comme les semaines s'écoulaient, Gonzalo Pizarre,
bien que patient, s'inquiéta du séjour prolongé de Blasco
Nuñez dans le nord, et il eut recours à un stratagème
pour l'attirer hors de sa retraite. Il sortit de Quito avec
la plus grande partie de ses forces, prétendant qu'il
allait soutenir son lieutenant dans le sud, tandis qu'il
laissait une garnison dans la ville, sous le commandement de Puelles. Il prit soin que la nouvelle en parvînt
au camp de l'ennemi. L'artifice réussit comme il le
désirait. Le vice-roi s'avança à marches rapides vers le

sud. Avant d'atteindre le lieu de sa destination, il apprit dans quel piège il avait été attiré. Il communiqua le fait à ses officiers. Mais il avait déjà tant souffert de l'incertitude, que son seul désir était maintenant de s'en remettre au sort des armes dans sa querelle avec Pizarre.

Celui-ci avait été bien informé par ses espions des mouvements du vice-roi. En apprenant son départ, il était rentré à Quito, avait joint ses forces à celles de Puelles et pris une forte position sur une hauteur qui commandait un cours d'eau que l'ennemi devait traverser. La nuit commençant à tomber, Blasco Nuñez s'établit sur le bord opposé du ruisseau.

Benalcazar vit bientôt que la position de Pizarre était trop forte pour être attaquée avec quelque chance de succès. Il proposa au vice-roi de s'éloigner secrètement pendant la nuit, de tourner les hauteurs et de tomber sur les arrières de l'ennemi, là où il s'y attendrait le moins. Ce conseil fut approuvé. Blasco Nuñez leva ses quartiers et marcha sur Quito. Mais ses guides s'égarèrent et les routes devinrent si impraticables qu'elles le forcèrent à un long détour. L'aube parut avant qu'il approchât du point de l'attaque. Renonçant à l'avantage de la surprise, il s'avança vers Quito où il arriva avec des hommes et des chevaux harassés par une marche de nuit de huit lieues, qui, par la route directe, n'aurait pas été de plus de trois. C'était une faute fatale à la veille d'un engagement.

Il trouva la capitale presque abandonnée par les hommes. Ils avaient tous rejoint l'étendard de Pizarre, car ils regardaient ce chef comme leur protecteur contre les ordonnances oppressives. Pizarre était le représentant des colons. Le malheureux vice-roi leva les mains au ciel et refusa les vivres que les femmes et les enfants lui offraient. Ses compagnons, avec plus d'indifférence que leur chef, entrèrent dans les maisons et s'approprièrent sans façon tout ce qu'ils purent trouver pour apaiser leur faim.

Benalcazar, voyant qu'il y aurait de la témérité à

livrer bataille dans la situation où ils étaient, recommanda
au vice-roi de tenter de négocier. Blasco Nuñez répondit
qu'il n'était pas question de le faire avec des traîtres.
Il rassembla ensuite ses troupes et leur adressa quelques
paroles pour les préparer à marcher. Ce fut le 18 janvier
1546 que Blasco Nuñez, à la tête de son armée, sortit
de Quito. Il n'avait encore fait qu'un quart de lieue
lorsqu'il arriva en vue de l'ennemi rangé le long de la
crête des hauteurs qui s'élevaient graduellement en
pente douce, à partir des plaines d'Anaquito. Gonzalo
Pizarre, très contrarié en apprenant, le matin, le départ
du vice-roi, avait levé son camp et s'était dirigé sur la
capitale, bien résolu à ne pas laisser échapper son
ennemi.

Les troupes du vice-roi firent halte et se rangèrent en
bataille. Un petit détachement d'arquebusiers fut placé
en avant pour commencer le combat. Le reste de ce corps
et des lanciers occupaient le centre, protégés sur les
flancs par la cavalerie partagée en deux escadrons
presque égaux. La cavalerie se montait à environ cent
quarante chevaux, de peu inférieure à celle du parti
adverse, quoique le nombre total des forces du vice-roi
excédât à peine la moitié de celles de son rival. Sur la
droite et en avant de la bannière royale, Blasco Nuñez,
soutenu par treize cavaliers choisis, prit position et se
prépara à conduire l'attaque.

Pizarre avait rangé ses troupes dans un ordre corres-
pondant à celui de son adversaire. Elles se montaient à
sept cents hommes en tout, bien équipés, en bonne
condition et commandés par les meilleurs chevaliers du
Pérou. Comme Pizarre ne semblait pas disposé à abandonner sa position avantageuse, Blasco Nuñez donna
l'ordre d'avancer.

Les arquebusiers engagèrent l'action et, rapidement,
des nuages épais de fumée tourbillonnèrent sur le champ
de bataille et l'obscurcirent, car le jour déclinait.

Lorsque l'action commença, la lutte ne fut pas de
longue durée; la cavalerie du vice-roi, quoique à peu près

égale en nombre, ne pouvait tenir contre ses adversaires. Blasco Nuñez fut tué. Un esclave noir de sa suite lui coupa la tête qui fut ensuite portée sur une pique, et quelques-uns furent assez féroces pour arracher les poils gris de sa barbe et les mettre à leurs bonnets, comme un trophée de leur victoire. Quoique l'action n'eût duré que peu de temps, presque un tiers des troupes du vice-roi avait péri. Telle fut la triste fin de Blasco Nuñez Vela, premier vice-roi du Pérou et ministre d'une loi odieuse et oppressive qu'on ne lui avait pas permis d'appliquer avec un pouvoir discrétionnaire.

La victoire d'Anaquito fut reçue avec une joie générale dans la capitale voisine; toutes les villes du Pérou la considérèrent comme scellant le renversement des ordonnances détestées, et le nom de Gonzalo Pizarre fut célébré d'un bout à l'autre du pays comme celui d'un libérateur. A Lima, on proposa d'abattre quelques édifices et d'ouvrir pour son entrée une nouvelle rue, qui devait porter ensuite le nom du vainqueur. Des envoyés arrivèrent des différentes parties du pays, offrant les félicitations de leurs villes respectives; chacun faisait valoir avidement ses droits aux récompenses pour les services qu'il avait rendus pendant la révolution. Pizarre reçut en même temps l'heureuse nouvelle du succès de ses armées dans le sud. Diego Centeno s'était rendu maître de La Plata et l'esprit d'insurrection s'était étendu sur la grande province de Charcas. Carbajal, qui avait été envoyé de Quito contre lui, après avoir passé à Lima, s'était dirigé immédiatement vers Cuzco et là, grossissant ses forces, il était rapidement descendu vers le district réfractaire. Centeno n'osa pas se risquer contre lui sur le champ de bataille. Il se retira avec ses troupes dans les défilés de la Sierra. Carbajal l'y poursuivit et le vainquit.

Gonzalo Pizarre était maintenant maître incontesté du Pérou. De Quito aux confins septentrionaux du Chili, le pays entier reconnaissait son autorité. Le nouveau gouverneur commença alors à s'entourer d'une pompe

répondant à sa haute fortune. Il avait une garde de
quatre-vingts hommes. Il dînait toujours en public et
n'avait habituellement pas moins de cent convives à
sa table.

LIVRE CINQUIEME

*La mission de Gasca
et l'organisation du pays*

La mission de Gasca
et l'organisation du pays

Le bruit des événements péruviens parvenait de temps en temps à la mère patrie. Le gouvernement apprit avec effroi les troubles causés par les ordonnances et la conduite violente du vice-roi, et il sut bientôt que ce fonctionnaire était déposé et chassé de sa capitale et que tout le pays, sous Gonzalo Pizarre, avait pris les armes contre lui. Aucune révolte semblable, de mémoire d'homme, n'était arrivée dans les territoires dépendant de l'Espagne.

Le gouvernement était entre les mains de Philippe, fils de Charles-Quint [1], le futur Philippe II. Il assembla un conseil de prélats, de légistes et de militaires d'une grande expérience, pour délibérer sur les mesures à prendre afin de ramener l'ordre dans les colonies. Tous s'accor-

---

[1] En Allemagne à cette époque.

dèrent à regarder l'entreprise de Pizarre comme une insolente révolte.

Pedro de la Gasca était, à la fois par son père et par sa mère, de vieille noblesse. Ayant de bonne heure perdu son père, son oncle le fit entrer au célèbre séminaire de Alcala de Henarès, fondé par le grand Ximenès. Là, il fit des progrès rapides et reçut le grade de maître en théologie. D'Alcala, Gasca fut envoyé ensuite à Salamanque, où il se distingua dans les discussions scolastiques. Il fut nommé membre du conseil de l'Inquisition. A la fin de l'année 1545, le conseil de Philippe choisit Gasca comme la personne la plus propre à se charger de la mission périlleuse de rétablir l'ordre au Pérou. Gasca accepta sans hésiter l'importante mission qui lui était offerte et, revenu à Madrid, il reçut les instructions du gouvernement sur la conduite qu'il devait tenir. Il représenta au conseil que la cour, en raison de la distance, n'était pas compétente pour se prononcer sur les mesures à prendre. Il fallait envoyer quelqu'un en qui le Roi pût avoir une confiance totale et qui fût investi de pouvoirs suffisants pour tous les cas, pouvoirs non seulement pour décider ce qu'il y avait de mieux à faire, mais encore pour exécuter les décisions; et il demanda hardiment de ne pas partir simplement comme représentant du souverain, mais revêtu de toute l'autorité du souverain lui-même.

« La faiblesse de ma santé, dit-il, m'eût rendu plus agréable de me reposer chez moi que de remplir cette mission dangereuse; mais mon souverain l'ordonne, et je ne la déclinerai pas. Si, comme il est probable, je ne puis revoir ma patrie, du moins je me consolerai par la conscience d'avoir fait de mon mieux pour servir ses intérêts. »

Les membres du conseil demandèrent que Gasca s'adressât lui-même au monarque et exposât avec précision les raisons qui motivaient des demandes si extraordinaires. Charles sentit qu'une crise extraordinaire ne pouvait être combattue que par des mesures extraordinaires. Il se rendit aux arguments de son sujet et,

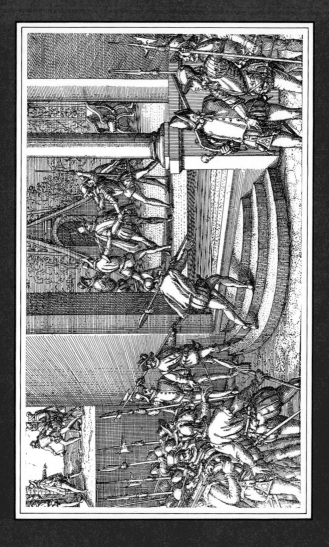

« *Blasco Nuñez, abandonné de tous,
se rendit aux assaillants...* » *(p. 195).*

le 16 février 1546, il lui écrivit une autre lettre d'appro-
bation et se déclara résolu à lui accorder les pouvoirs
absolus qu'il avait demandés. Gasca devait prendre le
titre de Président de l'Audience royale. Il était mis à la
tête de tout le gouvernement colonial, civil, militaire et
judiciaire, avait le pouvoir de faire de nouveaux repartimientos et de confirmer ceux qui étaient déjà faits. Il
pouvait déclarer la guerre, lever des troupes, nommer
à tous les emplois ou en disposer à son gré. Il pouvait
exercer la prérogative royale de pardonner les délits
et était spécialement autorisé à accorder une amnistie
sans exception à tous ceux qui se trouvaient impliqués
dans la révolte actuelle. Il devait, en outre, proclamer
immédiatement l'abolition des odieuses ordonnances.
Gasca avait la permission de bannir du Pérou les ecclésiastiques. Il lui était ouvert des crédits illimités sur le
trésor de Panama et sur celui du Pérou. Enfin, des blancs-
seings royaux lui furent remis pour être remplis à son
gré.

Le nouveau président fit alors ses préparatifs. Ils ne
furent ni nombreux, ni compliqués, car il devait être
accompagné d'une suite réduite. Après un voyage
heureux et bref pour l'époque, il débarqua vers le
milieu de juillet, au port de Santa Marta. Là, il reçut la
nouvelle surprenante de la bataille d'Anaquito, de la
défaite et de la mort du vice-roi et de la manière dont
Gonzalo Pizarre avait, depuis, établi son pouvoir absolu
sur le pays. Le président ne savait par où pénétrer au
Pérou. Tous les ports étaient dans les mains de Pizarre
et placés sous la surveillance de ses officiers, à qui il
était sévèrement recommandé d'empêcher toutes communications avec l'Espagne, et de retenir les personnes
munies d'une commission. Gasca, enfin, décida de passer
par Nombre de Dios, alors occupé avec une force considérable par Hernan Mexia. Mexia ne crut avoir rien à
craindre d'un pauvre ecclésiastique, sans soldats,
presque sans escorte pour le soutenir. La triste apparence
du président et de ceux qui l'accompagnaient excita

même quelque hilarité chez la rude soldatesque qui se laissa aller sans scrupule à des railleries grossières sur son extérieur, en présence du président lui-même. Mais, quelque simples et sans prétention que fussent les manières de Gasca, Mexia, à sa première entrevue avec lui, découvrit bientôt qu'il n'avait pas affaire à un homme ordinaire. Le langage candide et conciliant du président fit une impression visible sur celui-ci. Il reconnut la valeur des raisonnements de Gasca, l'assurant de sa coopération sincère dans l'œuvre bienfaisante de la réforme. C'était un point important pour Gasca, mais il était encore plus essentiel pour lui de s'assurer l'obéissance de Hinojosa, gouverneur de Panama, dont le port renfermait la flotte de Pizarre, composée de vingt-deux vaisseaux.

Le président envoya d'abord Mexia et Alonso de Alvarado pour préparer son arrivée, en instruisant Hinojosa de l'objet de sa mission, puis vint lui-même bientôt après, et fut reçu par cet officier avec tous les signes extérieurs du respect. Hinojosa ne fut pas satisfait pour autant; il écrivit immédiatement à Pizarre, lui annonçant l'arrivée de Gasca et l'objet de sa mission, et lui exprimant nettement sa conviction que le président n'avait aucun pouvoir pour le confirmer dans son gouvernement. Gasca engagea alors le gouverneur de Panama à lui fournir les moyens d'entrer en relation avec Gonzalo Pizarre lui-même; un vaisseau fut envoyé à Lima, portant deux lettres, l'une de l'Empereur, l'autre de Gasca lui-même, toutes deux pour Pizarre. La lettre de l'Empereur, loin d'accuser Gonzalo de rebellion, n'exprimait nullement l'intention de confirmer Pizarre dans les fonctions de gouverneur, non plus que de les lui retirer; il le renvoyait simplement à Gasca comme à celui qui lui ferait connaître la volonté royale et avec qui il devait coopérer pour rendre la tranquillité au pays. La lettre de Gasca était écrite dans le même sens. Ces différentes dépêches furent confiées à un cavalier nommé Paniagua, partisan fidèle du président.

Les semaines et les mois se passaient; le président restait toujours à Panama où, à la vérité, ses communications avec le Pérou étant interceptées, on pouvait dire qu'il était détenu comme un prisonnier d'État. Gonzalo Pizarre en vit assez pour se convaincre que le plus sûr serait d'interdire au président l'accès du pays. La nouvelle de son arrivée précipita la réalisation de son ancien projet d'envoyer une ambassade en Espagne pour justifier ses derniers actes et demander la confirmation royale de son autorité. La personne placée à la tête de cette mission était Lorenzo de Aldana.

Aldana, muni de ses dépêches, se hâta de se rendre à Panama. Le gouverneur connut alors l'état d'esprit de Pizarre. Il constata avec regret que l'envoyé était convaincu qu'aucune proposition ne serait admise par Pizarre ou par ses compagnons, si elle ne lui confirmait la possession du Pérou. Aldana fut bientôt reçu par le président et fut informé de la nature des pouvoirs de Gasca et de l'étendue des concessions royales aux insurgés. Il abandonna en conséquence sa mission en Castille et annonça son intention d'accepter le pardon offert par le gouvernement, et aussi de soutenir le président dans le règlement des affaires du Pérou. L'influence de ce précédent chez un personnage aussi important qu'Aldana l'emporta enfin sur les scrupules de Hinojosa, persuadé qu'un délai lui serait fatal, et il fit part à Gasca de son intention de placer la flotte sous son commandement. La remise de leurs commissions aux capitaines insurgés fut un acte politique de la part de Gasca. Il lui assura les services des plus habiles officiers du pays et tourna contre Pizarre le bras même sur lequel il s'était le plus appuyé.

Gasca ne fut pas plus tôt mis en possession de Panama et de la flotte, qu'il adopta une politique plus énergique que celle qu'il avait pu suivre jusque-là. Il leva des hommes et réunit des secours de toutes parts. Il eut soin d'acquitter les arrérages dus aux soldats et promit une paie libérale pour l'avenir. Il obtint sur le crédit du gouvernement des emprunts des habitants riches de Panama.

Pendant ce temps, les proclamations et les lettres de Gasca produisaient leur effet au Pérou. La nation en général, assurée de la protection des personnes et des biens, n'avait rien à gagner à une rébellion. Plusieurs des proclamations du président avaient été envoyées à Gonzalo par ses partisans fidèles, et Carbajal, qui avait été appelé de Potosi, déclara qu'elles étaient « plus à craindre que les lances de Castille ». Ce fut à ce moment que Paniagua aborda au port avec les dépêches de Gasca à Pizarre, se composant de la lettre de l'Empereur et de la sienne. Carbajal, dont la sagacité comprenait parfaitement la position où ils se trouvaient, opina pour accepter la grâce du Roi aux conditions proposées. Cepeda fut d'un avis différent. Il accusa son adversaire de donner un conseil suggéré par ses craintes pour sa propre sécurité. Pizarre jeta son poids dans la balance aux côtés de Cepeda. Il rejeta la grâce qu'on lui offrait, rompit ainsi le dernier lien qui le rattachait à son pays et, par cet acte, se déclara rebelle.

Peu de temps après, il reçut la nouvelle de la défection d'Aldana et de Hinojosa et de la soumission de la flotte pour laquelle il avait dépensé des sommes immenses. Atteint au cœur par la désertion de ceux en qui il avait le plus de confiance, il fut bouleversé par ces funestes nouvelles et se mit immédiatement à faire des préparatifs pour tenir tête à l'orage. La commission du président avait été expédiée avant que la nouvelle de la bataille d'Anaquito fût arrivée en Espagne, et elle ne pourrait jamais garantir le pardon à ceux qui étaient impliqués dans la mort du vice-roi.

Pizarre déployait une grande activité pour renforcer ses effectifs dans la capitale, et pour les mettre le mieux possible en état de combattre. Il fut bientôt à la tête d'un millier d'hommes, magnifiquement équipés et pourvus de tout ce qui était nécessaire. Parmi les chefs les plus remarqués, se trouvait Cepeda, qui avait échangé la robe du licencié pour le casque empanaché et la cotte de mailles du guerrier. Mais le cavalier que Pizarre chargea principalement du soin d'organiser ses bataillons fut le vétéran Carbajal. Ce qui donne une idée de l'équipement somptueux des troupes de Pizarre, c'est qu'il essaya de pourvoir d'un cheval chacun de ses mousquetaires. Les dépenses furent énormes : pas moins, nous dit-on, d'un demi-million de pesos de oro. Quand les ressources furent épuisées, il suppléa au déficit par des contributions imposées aux habitants riches de Lima comme prix de l'exemption de service et par des emprunts forcés.

On apporta bientôt la nouvelle que l'escadre d'Aldana était à la hauteur du port de Callao. Aldana désigna Caxamalca comme lieu de rendez-vous; ils devaient y concentrer leurs forces et attendre le débarquement de Gasca. Puis il continua sa route vers Lima.

Pizarre ne fut pas plus tôt informé de son approche que, craignant qu'elle n'eût l'effet désastreux d'ébranler la fidélité de ses partisans, il les fit sortir et camper à une lieue environ de la ville.

Le premier acte d'Aldana fut de faire parvenir la copie des pouvoirs de Gasca, qui lui avait été confiée, à son ancien chef qui la déchira avec indignation. Aldana essaya ensuite, au moyen de ses agents, de faire circuler parmi les habitants, et même parmi les soldats du camp, les manifestes du président, lesquels produisirent bientôt leur effet. Un petit nombre de personnes, qui avaient eu connaissance du but réel de la mission de Gasca, de l'étendue de ses pouvoirs ou des conditions généreuses offertes par le gouvernement, reculèrent devant l'entreprise désespérée dans laquelle ils s'étaient laissés imprudemment engager. La désaffection étant partout, les moyens de se retirer ne manquaient pas. Toutes ces défections faisaient une impression profonde sur Pizarre et il était douloureusement affligé quand il voyait la vaillante armée sur laquelle il avait tant compté pour gagner des batailles, fondre comme se dissipe le brouillard du matin. Il était évident qu'il devait quitter la position dangereuse où il se trouvait sans perdre de temps. Il résolut d'occuper Arequipa, port de mer qui lui était encore fidèle et où il pourrait rester jusqu'à ce qu'il eût arrêté quelque plan. Les forces des rebelles n'eurent pas plus tôt quitté les environs de Lima, que les habitants de cette ville, se souciant peu de leurs serments forcés de fidélité à Pizarre, ouvrirent leurs portes à Aldana qui prit possession de cette place importante au nom du président.

Gasca se porta en avant, à la tête d'un petit détachement de cavalerie, par la route de la plaine côtière, vers Truxillo. Après s'être arrêté peu de temps dans cette ville fidèle, il traversa la chaîne de montagnes au sud-est et entra bientôt dans la fertile vallée de Xauxa. Il y fut immédiatement rejoint par les renforts du nord, ainsi que des principales villes de la côte et, peu de temps après son arrivée, il reçut un message de Centeno l'informant que celui-ci occupait les passages par lesquels Gonzalo Pizarre se préparait à s'échapper du pays et que le chef des rebelles devait bientôt tomber entre ses mains.

Pizarre, cependant, que nous avons laissé à Arequipa, s'était décidé, après une longue délibération, à évacuer le Pérou et à passer au Chili. Dans ce territoire, en dehors de la juridiction du président, il pouvait trouver une retraite sûre. S'avançant donc en direction du lac Titicaca, dans le voisinage duquel Centeno avait placé son camp, Gonzalo lui envoya un émissaire pour entamer une négociation. Il n'avait aucun sentiment de malveillance à l'égard de Centeno, disait-il, pour sa conduite récente, et il n'était pas venu lui chercher querelle. Son intention était d'abandonner le Pérou et la seule faveur qu'il avait à demander à son ancien associé était de lui laisser le passage libre à travers les montagnes. A cette communication, Centeno répondit dans des termes aussi courtois que ceux de Pizarre. Toutefois, défendant la cause royale, il ne pouvait s'écarter de son devoir. Gonzalo écouta la réponse de son ancien camarade avec un dépit amer qui se peignit sur son visage et, arrachant la lettre à son secrétaire, il la jeta loin de lui. Aussitôt, il leva son camp et marcha vers les bords du lac Titicaca, accélérant sa marche vers Huarina.

Mais les mouvements de Pizarre avaient été communiqués secrètement à Centeno et ce capitaine, changeant en conséquence son terrain, prit position non loin de Huarina, le jour même où Gonzalo atteignait cette ville. Ce fut le 26 octobre 1547 que les deux généraux, ayant formé leurs troupes en ordre de bataille, s'avancèrent l'un contre l'autre dans les plaines de Huarina. Le terrain, défendu d'un côté par une saillie des Andes et peu éloigné de i'autre côté des eaux du lac Titicaca, était une plaine découverte et unie, propice aux manœuvres militaires. Il semblait préparé par la nature comme la lice d'une joute. L'armée de Centeno était d'environ mille hommes. Sa cavalerie en comptait près de deux cent cinquante, bien équipés et bien montés. Les forces de Pizarre n'égalaient pas la moitié de celles de son rival, soit quatre cent quatre-vingts hommes. La cavalerie ne dépassait pas quatre-vingt cinq chevaux, et il la plaça en un seul corps à la droite de son bataillon. Pizarre lui-même en prit le commandement.

Arrivées à six cents pas l'une de l'autre, les deux armées s'arrêtèrent. Carbajal préférait attendre l'attaque de l'ennemi plutôt que d'avancer davantage. Il fit halte, tandis que le parti opposé, après un court répit, continuait de marcher sur une centaine de pas. La troupe du vétéran restait calme et immobile, pendant que celle de Centeno s'avançait rapidement; mais quand celle-ci fut arrivée à cent pas de ses antagonistes, Carbajal donna l'ordre de faire feu.

Gonzalo Pizarre avait retiré ses cavaliers un peu en arrière de la droite de Carbajal, afin de laisser à ce dernier un passage plus libre pour sa mousqueterie. Quand les chevaux de la gauche de l'ennemi galopèrent brusquement contre lui, Pizarre, favorisant encore Carbajal —

dont le feu en outre faisait subir quelques pertes aux assaillants — avança insuffisamment pour supporter la charge ennemie. L'escadron de Centeno arriva comme la foudre, lancé à toute bride, et malgré les pertes que lui infligea la mousqueterie ennemie, il tomba avec une telle furie sur ses adversaires qu'il les renversa, chevaux et cavaliers, dans la poussière.

La déroute de la cavalerie de Pizarre fut complète.

Mais l'infanterie de Centeno avait été défaite et avait perdu le champ de bataille. Les deux détachements tentèrent alors une autre charge. Pizarre et quelques-uns de ses camarades encore en état d'agir continuèrent la poursuite, mais sans s'éloigner trop. La victoire était complète pour eux et le chef rebelle prit possession des tentes abandonnées de l'ennemi, où l'on fit un immense butin en argent et où l'on trouva aussi les tables dressées pour restaurer les soldats de Centeno. Il ne périt pas moins de trois cent cinquante des compagnons de Centeno, et le nombre des blessés fut même plus grand. La victoire fut payée cher aussi par les vainqueurs dont une centaine ou plus resta sur le carreau. C'était la plus dure bataille qui eût encore été livrée sur le sol ensanglanté du Pérou.

Le lendemain de l'action, Gonzalo Pizarre fit déposer dans une sépulture commune les corps des soldats gisant encore côte à côte sur la place où ils avaient été engagés dans une lutte à mort et le vainqueur profita de son succès pour envoyer des détachements à Arequipa, La Plata et autres villes de cette partie du pays, afin de lever des contributions et des renforts.

Rassemblant ses forces, Pizarre marcha sur Cuzco qui, bien qu'entraînée par les circonstances à témoigner sa fidélité à la Couronne, avait manifesté de bonne heure son attachement au vétéran.

Les habitants se préparaient à le recevoir en triomphe sous des arcades jetées en travers des rues, avec des orchestres et des chants qui célébraient sa victoire. Mais Pizarre, avec discrétion, refusa les honneurs d'une ovation puisque le pays était encore au pouvoir des ennemis. Se faisant précéder du gros de ses troupes, il suivit à pied, accompagné par une faible escorte d'amis et d'habitants et se rendit d'abord à la cathédrale où des actions de grâce furent rendues et le *Te Deum* chanté en l'honneur de sa victoire. Il se retira ensuite dans sa demeure, annonçant son intention d'établir pour le présent ses quartiers dans la vénérable capitale des Incas.

Toute pensée de retraite au Chili fut abandonnée. Son succès récent avait ramené de nouvelles espérances dans son cœur et ravivé son ancienne confiance. Il comptait qu'il aurait le même effet sur les dispositions vaillantes de ceux dont la fidélité avait été ébranlée par des craintes pour leur sûreté personnelle et par leur scepticisme quant à ses moyens de tenir tête au président. Ils verraient maintenant que son étoile continuait à monter.

Il résolut de rester à Cuzco et d'y attendre tranquillement l'heure où un dernier appel aux armes déciderait qui, du président ou de lui-même, demeurerait maître du Pérou.

Pendant tout ce temps, le président Gasca était resté à Xauxa, attendant des nouvelles de Centeno et ne doutant pas qu'elles ne lui apprissent la complète déroute des rebelles. Sa consternation fut donc grande. Il envoya à Lima un détachement sous les ordres d'Alvarado pour rassembler les royalistes échappés du champ de bataille et pour enlever l'artillerie des vaisseaux et l'amener au camp. Gasca résolut de partir sans plus de délai et de marcher sur la capitale des Incas. Le camp royal se fortifiait par l'arrivée continuelle de renforts. Centeno, brûlant de réparer sa défaite, vint rejoindre le camp avec ses compagnons. Benalcazar, le vainqueur de Quito, arriva avec un autre détachement et fut suivi bientôt après par Valdivia, le célèbre conquérant du Chili.

Gasca, qui n'affectait pas plus de connaissances militaires qu'il n'en avait réellement, avait confié la conduite de ses forces à Hinojosa, nommant Alvarado son second

dans le commandement. Le président leva son camp,
en mars 1548, et marcha sur Cuzco. Le premier obstacle
que rencontra sa marche fut la rivière Abancay, dont le
pont avait été rompu par l'ennemi. Les cavaliers furent
forcés de mettre pied à terre et le président, comme les
autres, fit à pied une marche hasardeuse. Il envisageait
avec plus d'inquiétude le passage de l'Apurimac, dont il
approchait. Cette large rivière, l'un des plus importants
affluents de l'Amazone, roule ses eaux à travers les
gorges des Cordillères, celles-ci se dressant des deux
côtés comme un immense rempart de rochers, et consti-
tuant une barrière naturelle qu'un ennemi défendrait
aisément contre une force très supérieure.

Les ponts de cette rivière, comme Gasca l'apprit
avant son départ d'Andaguaylas, avaient tous été
détruits par Pizarre, aussi fut prise la décision d'en
construire un. Le lieu choisi était près du village indien
de Cotapampa, à neuf lieues environ de Cuzco. Des
ordres avaient été donnés pour rassembler les matériaux
en grande quantité dans le voisinage, aussitôt que
possible et, en même temps, afin d'embarrasser l'ennemi
et de l'obliger à diviser ses forces, s'il était disposé à
résister, on amassa des matériaux en plus petit nombre
sur trois autres points de la rivière. Malgré les ordres
formels de Gasca, l'officier chargé de rassembler les
matériaux du pont désirait tellement avoir l'honneur
d'achever l'ouvrage lui-même, qu'il le commença sur-
le-champ.

Le président, très mécontent en apprenant cela, hâta
sa marche afin de couvrir l'ouvrage avec toutes ses forces.
Valdivia prit les devants à la tête de deux cents arquebusiers, pendant que le gros de l'armée le suivait aussi
vite que possible. Cet officier, en arrivant, constata que
l'ébauche de pont avait été détruite par un petit détachement de partisans de Pizarre, qui ne comptait que
vingt hommes. Il comprit l'importance du temps dans
la situation critique où l'on se trouvait, et poussa l'ouvrage avec la plus grande vigueur. On consacra peu de

temps au repos, tout le monde comprenant que le succès de l'entreprise reposait sur le court répit laissé par l'ennemi. Le président et ses principaux officiers prirent part au travail avec les simples soldats. Avant dix heures du soir, Gasca eut la satisfaction de voir le pont si bien affermi que les premières files de l'armée, allégées de leurs bagages, purent se risquer à le traverser.

Le passage de la rivière s'effectua avec moins de pertes qu'on n'eût pu s'y attendre, en considérant l'obscurité nocturne et la foule qui se précipita.

Depuis que Pizarre avait occupé Cuzco, il avait vécu dans l'insouciance, au milieu de ses compagnons. Il en était autrement de Carbajal. Il voyait dans la victoire de Huarina le commencement, et non la fin de la lutte, et il se montrait infatigable pour mettre ses troupes autant que possible en état de conserver l'avantage acquis. Carbajal pensait que son chef n'avait pas de forces suffisantes pour rencontrer un adversaire soutenu par les meilleurs capitaines du Pérou. Il lui conseillait donc d'abandonner Cuzco, d'emporter le trésor, les provisions et les munitions de toutes sortes qui pourraient être utilisées par les royalistes. Mais ce projet n'était pas du goût de son fougueux général, qui aimait mieux risquer une bataille que tourner le dos à l'ennemi. Pizarre n'accueillit pas avec plus de faveur une proposition qui lui fut faite par le licencié Cepeda, à savoir profiter de son dernier succès pour entrer en négociation avec Gasca. Il résolut de rester à Cuzco et de tout risquer sur le hasard d'une bataille.

Les soldats de Pizarre revinrent avec la nouvelle qu'un détachement de l'ennemi avait traversé l'Apurimac et s'occupait à rétablir le pont. Carbajal vit aussitôt la nécessité de défendre ce passage. « Je ne puis me priver de vous, mon père, dit Gonzalo, je ne puis vous envoyer si loin de ma personne. » Il chargea de la commission Juan de Acosta, jeune cavalier très attaché à son général. Mais celui-ci parcourut si lentement ces routes difficiles qu'il trouva à son arrivée le pont achevé

et un corps ennemi si important déjà passé qu'il n'était
pas de force à l'attaquer. Il se contenta de se retirer à
distance et d'envoyer chercher du renfort à Cuzco. Trois
cents hommes furent promptement détachés pour le
soutenir; mais quand ils arrivèrent, l'ennemi était déjà
établi avec toutes ses forces sur une crête. La seule
question qui restait à décider était celle du lieu où
Gonzalo Pizarre livrerait bataille. Il résolut d'évacuer la
capitale et d'attendre ses adversaires dans la vallée
voisine de Xaquixaguana. Le général rebelle y arriva
après une marche fatigante sur des routes qui n'étaient
pas parcourues aisément par ses chariots pesants et son
artillerie.

En entrant dans la vallée, Pizarre choisit le côté
oriental, vers Cuzco, comme le lieu le plus favorable
pour établir son camp. Il était traversé par le torrent
mentionné ci-dessus et Pizarre disposa son armée de telle
manière que, tandis qu'une extrémité de son dispositif
s'appuyait à une barrière naturelle formée par les roches
de la montagne, l'autre était protégée par la rivière.

Cependant, l'armée royale avait franchi laborieu-
sement les pentes escarpées des Cordillères, et, bientôt,
le président eut la satisfaction de se voir entouré de
toutes ses forces, pourvues de leurs canons et de leurs
munitions de guerre. Il reprit alors sa marche. Enfin,
le 8 avril au matin, l'armée royale, contournant les
sommets de la haute chaîne qui entoure l'agréable vallée
de Xaquixaguana, aperçut au loin et au-dessus d'elle,
sur les versants opposés, les lignes colorées de l'ennemi,
avec leurs pavillons blancs, semblables à des bandes
d'oiseaux sauvages nichés dans les rochers des montagnes.

Accélérant sa marche, l'armée royale descendit rapidement les flancs escarpés de la Sierra. Malgré tous les
efforts de leurs officiers, les soldats marchaient avec si
peu d'ordre, chaque homme se frayant sa route comme
il pouvait, que la colonne éparpillée présentait à l'ennemi
plus d'un point vulnérable, et la descente ne se serait

pas opérée sans des pertes considérables, si le canon de
Pizarre eût été placé sur l'une des positions favorables
que présentait le terrain. Les forces du président, des-
cendues dans la vallée, étaient, à mesure qu'elles arrivaient dans la plaine, mises en ligne par leurs officiers.
Elles restèrent sous les armes la plus grande partie de la
nuit, quoique l'air des montagnes fût si vif qu'elles
tenaient leurs lances difficilement.

Gasca, laissant la direction de la bataille à ses officiers,
se retira à l'arrière-garde avec sa suite d'ecclésiastiques
et de licenciés.

Gonzalo Pizarre forma son escadron comme il l'avait
fait dans les plaines de Huarina; seulement, les effectifs
accrus de sa cavalerie lui permirent de couvrir les deux
flancs de son infanterie. Il chargea Cepeda du commandement de celle-ci. Mais Cepeda, clairvoyant, flairait
une catastrophe. Aussi, lorsqu'il eut reçu les ordres de
Pizarre, il s'avança comme pour choisir le terrain qu'il
ferait occuper à sa troupe, puis il reparut bientôt, et on le
vit galoper à toute bride à travers la plaine, droit vers les
lignes ennemies. Pizarre alors ne douta plus de sa trahison. Cepeda fut reçu par Gasca avec la plus grande
satisfaction. Gasca reconnut toute l'importance du
transfuge et l'effet que sa désertion, en un tel moment,
devait avoir sur l'esprit des rebelles. L'exemple de
Cepeda, en effet, fut contagieux. Garcilasso de la Vega,
père de l'historien, chevalier d'une ancienne famille et
probablement plus considéré qu'aucun autre dans le
parti de Pizarre, piqua son cheval en même temps que le
licencié, et passa à l'ennemi. Dix ou douze arquebusiers
suivirent la même direction.

Pizarre resta frappé de stupeur en se voyant abandonné dans une conjoncture si critique par ceux en qui il
avait eu le plus de confiance. Il n'osa pas attendre
l'attaque, et donna l'ordre d'avancer. Aussitôt, les
tirailleurs et les arquebusiers qui étaient sur les flancs
se portèrent rapidement en avant; l'artillerie se prépara
à ouvrir le feu. Mais avant qu'un seul coup fût tiré, une

colonne d'arquebusiers, composée principalement des soldats de Centeno, abandonna son poste et marcha droit à l'ennemi. Un escadron de cavaliers, envoyé à leur poursuite, suivit leur exemple. Les partisans fidèles de Pizarre furent saisis de terreur lorsqu'ils se virent, eux et leur chef, livrés ainsi aux mains de l'ennemi.

Pizarre, dans ce sauve-qui-peut, se voyait seul. « Que nous reste-t-il à faire? » dit-il à Acosta, l'un de ceux qui lui restaient. « Tombons sur l'ennemi, puisque nous n'avons pas le choix, répondit l'intrépide soldat, et mourons en Romains! » « Mieux vaut mourir en chrétiens », répondit son général; et, détournant lentement son cheval, il se dirigea vers l'armée royale. Pizarre resta en selle mais, en approchant, il s'inclina respectueusement devant le président, ce dernier lui répondant froidement. Ensuite, s'adressant à son prisonnier d'un ton sévère, Gasca lui demanda brusquement « pourquoi il avait jeté le pays dans une telle confusion, levant l'étendard de la révolte, tuant le vice-roi, usurpant le gouvernement et refusant obstinément les offres de grâce qui lui avaient été faites à plusieurs reprises ». Gonzalo essaya de se justifier en rejetant le sort du vice-roi sur sa mauvaise conduite. Puis le président rompit l'entretien en ordonnant que Gonzalo fût surveillé étroitement et confié à la garde de Centeno. Dans ce naufrage commun, Francisco de Carbajal ne fut pas mieux partagé que son chef quand il trouva le champ de bataille quasi désert et ses braves compagnons évanouis dans la nature. Il fut capturé par quelques-uns de ses ex-camarades, qui espéraient ainsi faire la paix avec le vainqueur, et conduit rapidement par eux aux quartiers du président.

Le premier soin de Gasca fut d'envoyer un officier à Cuzco pour empêcher ses partisans de se livrer aux excès qu'entraîne la victoire, si l'on peut appeler ainsi une décision obtenue sans coup férir. Ainsi se termina la « bataille » ou plutôt la déroute de Xaquixaguana. Jamais victoire ne coûta si peu; jamais si violente et si

sanglante insurrection ne se termina avec si peu de sang
répandu.

Il fallait maintenant décider du sort des prisonniers.
Alonso de Alvarado, avec le licencié Cianca, l'un des
membres de la nouvelle Audience royale, reçurent l'ordre
de préparer le procès. Les accusés furent tous condamnés
à mort et leurs biens confisqués au profit de la Couronne.
Gonzalo Pizarre fut décapité et Carbajal écartelé. On fut
sans pitié pour celui qui n'en avait jamais eu. Francisco
de Carbajal a été l'une des personnalités les plus extraordinaires de ces temps sombres et agités; d'autant plus
extraordinaire si l'on considère son âge : à l'époque de sa
mort, il était dans sa quatre-vingt-quatrième année. La
vie tumultueuse de la rébellion avait réveillé toutes les
passions assoupies de son âme, passions qu'il ignorait
peut-être lui-même : cruauté, avarice, esprit de vengeance. Elles trouvèrent un vaste champ d'action dans la
guerre contre ses compatriotes; car la guerre civile est
proverbialement la plus sanguinaire et la plus féroce de
toutes. On doit cependant accorder une vertu à Carbajal,
celle de la fidélité à son parti. Cela le rendit d'autant
moins tolérant pour la perfidie chez les autres. On ne le
vit jamais avoir pitié d'un renégat. Comme militaire,
Carbajal occupa un rang distingué parmi les soldats
du Nouveau Monde. Il était ponctuel et même sévère dans
le maintien de la discipline, de sorte qu'il était peu aimé
de ses subordonnés. Prompt, actif et persévérant, il
ignorait le danger et la fatigue, et après des journées
passées à cheval, il semblait attacher peu de prix à un lit
confortable.

En marchant au supplice, Pizarre montra dans son
costume le même goût de magnificence et de faste qu'en
des jours plus heureux. Sur son pourpoint, il portait un
superbe manteau de velours jaune, chargé de broderies
d'or; sa tête était couverte d'un bonnet de la même
étoffe, également rehaussé d'ornements en or. Arrivé à
l'échafaud, il y monta d'un pas ferme et demanda la
permission d'adresser quelques paroles aux soldats

rassemblés alentour. « Il s'en trouve beaucoup parmi vous, dit-il, qui sont devenus riches par la libéralité de mon frère et la mienne. Cependant, de toutes mes richesses, il ne me reste rien que les vêtements que j'ai sur moi; et encore ils ne sont pas à moi, mais appartiennent à l'exécuteur. Je n'ai donc pas les moyens de payer une messe pour le salut de mon âme, et je vous prie, en souvenir des bienfaits passés, de m'en faire la charité quand je ne serai plus, afin que cela vous profite à l'heure de votre mort. »

Pizarre resta quelques minutes en prières; après quoi, s'adressant au soldat qui faisait fonction d'exécuteur, il lui dit avec calme de « faire son devoir d'une main ferme ». Il refusa de se laisser bander les yeux et, penchant le cou en avant, il le présenta au glaive du bourreau, qui trancha la tête d'un coup si net, que le corps se tint droit quelques instants, comme s'il eût été encore vivant! La tête fut portée à Lima, pour être mise dans une cage et ensuite attachée au gibet à côté de celle de Carbajal. Gonzalo Pizarre n'avait atteint que sa quarante-deuxième année à l'époque de sa mort. Il était le plus jeune de cette famille étonnante à laquelle l'Espagne devait l'acquisition du Pérou.

Cepeda, plus coupable que Pizarre puisqu'il avait une éducation et une intelligence supérieures qu'il n'employa qu'à égarer son chef, ne lui survécut pas longtemps. Il était arrivé dans le pays avec un emploi hautement responsable. Son premier acte fut de trahir le vice-roi qu'on l'envoyait soutenir; il trahit l'Audience avec laquelle il aurait dû collaborer; enfin, il trahit le chef qu'il affectait le plus de servir. Sa carrière tout entière fut une trahison envers son gouvernement. Sa vie ne fut qu'une longue perfidie. Après qu'il se fut rendu, plusieurs des cavaliers, révoltés par sa froide apostasie, voulaient persuader Gasca de l'envoyer au supplice avec son général; mais le président s'y refusa, en considération du service signalé qu'il avait rendu à la couronne par sa défection. Il fut cependant arrêté et envoyé en

Castille. Là, il fut accusé de haute trahison. Il se défendit d'une manière habile et, comme il avait des amis à la cour, il est probable qu'il eût été acquitté. Mais, avant que le procès fût terminé, il mourut en prison.

* * *

Le président avait maintenant un nouveau devoir, celui de récompenser ses partisans fidèles; devoir non moins difficile (les faits le prouvèrent) que celui de punir les coupables. Les solliciteurs étaient nombreux, car quiconque avait levé un doigt en faveur du gouvernement réclamait un salaire. Ils appuyaient leurs demandes avec une importunité bruyante qui embarrassait le bon président et absorbait tout son temps. Dégoûté de cet état de choses, Gasca résolut de s'affranchir une bonne fois de ses ennuis, en se retirant dans la vallée de Guaynarima, à douze lieues de la ville, et là de mûrir en paix un projet de compensation. Le président resta trois mois dans cette retraite, pesant soigneusement les prétentions rivales, répartissant les biens confisqués entre les parties suivant leurs services respectifs. Les repartimientos, on doit le remarquer, n'étaient accordés d'ordinaire qu'en viager; à la mort du titulaire, ils devaient retourner à la Couronne, pour être distribués de nouveau ou gardés, selon son bon plaisir.

Puis Gasca résolut de se retirer à Lima, laissant l'acte de répartition à l'archevêque, pour le communiquer à l'armée. Malgré tout le soin pris pour parvenir à une distribution équitable, Gasca savait qu'il était impossible de satisfaire les demandes de soldats jaloux et irritables, dont chacun exagérait ses propres mérites, tandis qu'il rabaissait ceux de ses camarades; et il ne se souciait pas de s'exposer aux rancœurs et aux plaintes.

Après son départ, l'archevêque assembla les troupes dans la cathédrale, pour leur donner lecture de l'acte à lui confié par le président. La rente annuelle des biens à distribuer s'élevait à cent trente mille pesos ensayados, somme considérable si l'on tient compte de la valeur de l'argent, à l'époque, dans tout autre pays que le Pérou où il était à bas prix. Les repartimientos ainsi distribués variaient de cent à trois mille cinq cents pesos de rente annuelle; tous visiblement établis avec la plus minutieuse précision, selon les mérites des parties. Il y avait environ 250 pensionnés car le fonds n'aurait pas suffi à une distribution générale, et les services de la plupart des soldats ne furent pas jugés dignes d'une telle récompense.

L'effet produit par ce document sur des hommes dont l'esprit était rempli des espérances les plus exagérées fut justement celui qu'avait prévu le président. Il fut accueilli par un murmure général de désapprobation. Même ceux qui avaient obtenu plus qu'ils n'espéraient furent mécontents, en comparant leur condition à celle de leurs camarades, qu'ils trouvaient comparativement encore mieux rémunérés. Ils se déchaînèrent surtout contre la préférence marquée aux anciens partisans de Gonzalo Pizarre sur ceux qui étaient toujours restés fidèles à la Couronne. Cette préférence n'était pas sans raison : en effet, personne n'avait rendu des services aussi décisifs pour anéantir la rebellion, et c'étaient ces services que Gasca se proposait de récompenser.

Ce fut en vain, cependant, que l'archevêque, secondé par quelques-uns des principaux cavaliers, s'efforça de modérer la troupe. Les soldats insistaient pour que le décret fût annulé et qu'il en fût rendu un nouveau sur des bases plus équitables, menaçant en outre, si le président s'y refusait, de se faire eux-mêmes justice. Leur mécontentement, attisé par quelques-uns qui pensaient y trouver leur avantage, alla jusqu'à faire craindre une révolte. Il ne s'apaisa qu'après que le gouverneur de Cuzco eut condamné à mort un des meneurs et plusieurs autres au bannissement. Ces hommes de fer de la conquête avaient besoin d'être gouvernés par une main de fer.

Cependant, le président avait continué son voyage

vers Lima et, sur la route, le peuple le recevait partout avec un enthousiasme d'autant plus doux à son cœur, qu'il le sentait mérité. Lorsqu'il approcha de la capitale, les fidèles habitants se préparèrent à lui faire une réception magnifique. Mais quelque agréable que fût cet hommage, Gasca n'était pas homme à perdre son temps en démonstrations ostentatoires. Il ne pensait plus qu'aux moyens d'extirper les semences de désordre qui levaient si facilement sur ce sol fertile, et d'asseoir l'autorité du gouvernement sur une base solide. Dans l'instabilité de la propriété, il y avait beaucoup de sujets de litige; mais, heureusement, la nouvelle Audience était composée de juges habiles et intègres qui travaillèrent activement avec lui à guérir le mal causé par la mauvaise administration de leurs prédécesseurs. Gasca n'oublia pas non plus les malheureux indigènes. Il s'occupa sérieusement du problème difficile d'améliorer leur condition. Il envoya un grand nombre de commissaires pour visiter les différentes parties du pays, avec mission d'inspecter les encomiendas et de s'assurer de la manière dont les Indiens étaient traités, en conversant non seulement avec les propriétaires, mais avec les Indiens eux-mêmes. Le président aurait volontiers aboli l'obligation du service personnel; mais, après un mûr examen, cela fut jugé impossible dans l'état actuel du pays. Le président, cependant, limita la somme de service qu'on pouvait exiger avec une grande précision, de sorte que ce service eut le caractère d'une taxe personnelle modérée. Par ces divers règlements, la condition des indigènes, quoi-qu'elle ne fût pas telle que l'avait rêvée la philantropie ardente de Las Casas, était améliorée bien au-delà de ce que comportaient les exigences insatiables des colons.

Outre ces réformes, Gasca en introduisit plusieurs dans l'administration municipale des villes, et d'autres encore plus importantes dans l'administration des finances et dans la manière de tenir les comptes. Par ces changements et par d'autres encore dans le régime intérieur de la colonie, il donna à l'administration des bases nouvelles et facilita beaucoup la tâche de ses successeurs en vue d'un gouvernement plus sûr et plus stable.

* * *

Il y avait plus de quinze mois que Gasca était à Lima, et près de trois années s'étaient écoulées depuis son arrivée au Pérou. A son débarquement, il avait trouvé la colonie dans un état d'anarchie, ou plutôt de révolte organisée, dirigée par un chef puissant et populaire. Il avait opéré un revirement dans l'opinion publique et, sans qu'il en coûtât une goutte de sang à un seul sujet fidèle, il avait étouffé une révolte qui avait failli coûter à l'Espagne la plus riche de ses provinces. Il avait puni les coupables et trouvé dans leurs dépouilles les moyens de récompenser la fidélité. Il avait en outre si bien ménagé les ressources du pays, qu'il fut en état de rembourser l'emprunt considérable négocié avec les marchands de la colonie pour subvenir aux dépenses de la guerre et qui dépassait neuf cent mille pesos de oro. Il y a plus : par son sens de l'économie, il avait épargné un million et demi de ducats au profit du gouvernement qui, depuis quelques années, n'avait rien reçu du Pérou. Maintenant, il se proposait de rapporter cet agréable tribut pour remplir les coffres du Roi. Tout cela avait été accompli sans qu'il en coûtât ni frais d'équipage ou de salaire, ni aucune charge pour la Couronne, excepté celle de sa modique rétribution personnelle. Le pays était paisible. Gasca sentit que sa tâche était remplie. Il était libre de satisfaire son désir naturel de revoir son pays.

Avant son départ, il régla une distribution des repartimientos qui étaient revenus à la Couronne après le décès des titulaires dans l'année qui venait de s'écouler. La vie était courte au Pérou. Ceux qui vivaient par l'épée, s'ils ne mouraient pas par l'épée, tombaient trop souvent victimes prématurées des fatigues accumulées durant leurs carrières aventureuses. Les prétendants aux nouvelles largesses du gouvernement étaient nombreux et, comme il s'en trouvait plusieurs parmi eux qu'avait mécontentés la répartition précédente, Gasca fut assailli de remontrances et quelquefois de reproches, exprimés peu respectueusement. Mais cela ne put troubler son égalité d'humeur. Il écouta patiemment et répondit à tous sur le ton d'une douce remontrance, bien dosé pour désarmer la colère.

La veille de son départ, eut lieu une manifestation émouvante et qui honora ceux qui y prirent part. Les caciques indiens de la contrée voisine, se souvenant des grands services qu'il avait rendus à leurs populations, lui présentèrent une grosse quantité de vaisselle d'argent, en témoignage de leur reconnaissance. Gasca refusa ce don en dépit de la peine faite aux Péruviens qui craignirent de lui avoir déplu.

Plusieurs des principaux colons, désireux eux aussi de lui manifester leur reconnaissance, lui envoyèrent, après qu'il se fut embarqué, un don magnifique de cinquante mille castellanos d'or. Comme il avait pris congé du Pérou, disaient-ils, il ne pouvait avoir aucun motif de refuser. Gasca pourtant refusa encore ce présent avec la même résolution. « Il était venu dans le pays, disait-il, pour servir le Roi et assurer les bénédictions de paix aux habitants, et maintenant que la faveur du ciel lui avait permis d'accomplir son entreprise, il ne voulait pas déshonorer la cause qu'il avait soutenue par un acte qui pût rendre suspecte la pureté de ses motifs. » Malgré son refus, les colons essayèrent de cacher la somme de vingt mille castellanos à bord de son vaisseau, pensant qu'une fois dans son pays et sa mission achevée, les scrupules du président seraient levés. Gasca, en effet, accepta le don, sentant qu'il y aurait mauvaise grâce à le renvoyer, mais ce fut seulement jusqu'à ce qu'il eût pu connaître les parents des donateurs en Espagne, et alors il le distribua parmi ceux qui en avaient le plus besoin.

Après avoir réglé toutes ses affaires, le président confia

le gouvernement, jusqu'à l'arrivée d'un vice-roi, à ses fidèles collègues de l'Audience royale et, au mois de janvier 1550, il s'embarqua pour Panama avec le trésor royal à bord d'une escadre. Il fut accompagné jusqu'au rivage par une foule nombreuse d'habitants, chevaliers et hommes du peuple, gens de tous âges et de toutes conditions qui le suivaient pour voir une dernière fois leur bienfaiteur et regarder mélancoliquement le vaisseau qui l'emportait loin de leur pays.

Son voyage fut heureux et, au début du mois de mars, le président parvint à destination. Il ne s'y arrêta que le temps de réunir des chevaux et des mules en nombre suffisant pour transporter le trésor à travers les montagnes. Il savait que cette partie du pays était peuplée d'hommes farouches adonnés au brigandage, qui seraient tentés de se porter à quelque acte de violence s'ils connaissaient les richesses qu'il avait avec lui. Il traversa donc l'isthme montagneux et, après une marche pénible, arriva heureusement à Nombre de Dios.

L'événement justifia ses craintes. Il n'était parti que depuis trois jours, lorsqu'une horde de brigands, après avoir assassiné l'évêque de Guatemala, se jeta sur Panama pour faire subir au président le même sort et s'emparer du butin. Ces nouvelles ne furent pas plus tôt communiquées à Gasca qu'avec son énergie habituelle, il leva des troupes et se prépara à marcher au secours de la capitale envahie. Mais la fortune ou, pour mieux parler, la providence, le favorisa encore à cette occasion. A la veille de son départ, il apprit que les maraudeurs avaient été attaqués par les gens de la ville qui en avaient fait un grand carnage. Ayant alors licencié ses troupes, il équipa une flotte de dix-neuf vaisseaux pour le transporter, lui et le trésor royal, en Espagne où il arriva sain et sauf, entrant dans le port de Séville un peu plus de quatre ans après le jour de son départ.

La sensation causée dans le pays par son arrivée fut grande. On pouvait à peine croire que des résultats si importants eussent été obtenus dans un temps si court par un seul homme, par un pauvre ecclésiastique qui, sans aide du gouvernement, avait, par sa propre force pour ainsi dire, réprimé une révolte qui avait si longtemps défié les armes de l'Espagne.

L'Empereur était en Flandre. Il fut rempli de joie en apprenant le succès complet de la mission de Gasca, et non moins satisfait des richesses qu'il apportait avec lui; car le trésor, rarement rempli jusqu'à l'abondance, avait été épuisé par les troubles récents de l'Allemagne. Charles écrivit aussitôt au président, lui demandant de se rendre à la cour, afin qu'il pût apprendre de sa bouche les détails de l'expédition. En conséquence, Gasca, accompagné d'une suite nombreuse de nobles et de chevaliers, s'embarqua à Barcelone et rejoignit la cour en Flandre.

Il fut reçu par son royal maître qui appréciait justement ses services, d'une manière très flatteuse pour lui et, peu après, il fut élevé à la dignité d'évêque de Palencia, récompense mieux adaptée à son caractère et à ses mérites. Il y resta jusqu'en 1561, date à laquelle il fut promu au siège vacant de Siguenza. Il passa paisiblement le reste de ses jours dans l'accomplissement de ses fonctions épiscopales, honoré de son souverain et jouissant de l'admiration et du respect de ses compatriotes.

Dans sa retraite, il était encore consulté par le gouvernement sur les questions importantes relatives aux Indes. Ce malheureux pays fut encore le théâtre de troubles, quoique moins importants, peu après le départ du président. Ils eurent principalement pour origine le mécontentement causé par les repartimientos et par la fermeté de l'Audience dans l'application des restrictions bienfaisantes relatives aux services personnels des indigènes. Mais ces troubles se calmèrent au bout de quelques années, sous le sage gouvernement des deux Mendoza, qui se succédèrent comme vice-rois et appartenaient à cette maison qui a donné un si grand nombre de ses enfants au service de l'Espagne. Leur adminis-

tration continua la politique clémente et résolue à la fois
dont Gasca avait donné l'exemple. Les blessures que le
pays avait reçues de ses anciens déchirements furent
cicatrisées d'une manière durable. Avec la paix, on vit
renaître la prospérité du Pérou. La conscience qu'il eut
des résultats bienfaisants de ses efforts put faire luire un
rayon de joie, aussi bien que de gloire, sur la fin de la vie
du président.

Cette vie se termina en novembre 1567. Il mourut à
Valladolid et y fut enterré dans l'église de Sainte-Marie-
Madeleine, qu'il avait bâtie et richement dotée. Son
tombeau, surmonté de l'effigie sculptée d'un prêtre
revêtu de ses habits sacerdotaux, s'y voit encore et fait
l'admiration du voyageur par la beauté du travail. Les
bannières prises à Gonzalo Pizarre furent suspendues
sur sa tombe comme trophées de sa mémorable mission
au Pérou.

* * *

Gasca avait l'aspect d'un homme ordinaire et son
visage était loin d'être beau. Il était disgracieux et mal
proportionné. Ses membres étaient trop longs pour son
corps, de sorte qu'à cheval il paraissait beaucoup plus
petit qu'il ne l'était réellement. Sa mise était humble,
ses manières simples et son extérieur n'avait rien d'imposant. Mais, à y regarder de plus près, ses discours
possédaient un charme qui effaçait l'impression produite
par son extérieur et lui gagnait l'âme de ses auditeurs.

Le caractère du président a été suffisamment mis en
relief par l'histoire de sa vie. Il présentait une combi-
naison de qualités qui d'ordinaire se neutralisent mutuellement mais qui, chez lui, se mélangeaient dans une
proportion propre à en augmenter la puissance. Il était
doux mais ferme. Intrépide par nature, il n'aimait pas
les moyens violents. Il était modeste dans ses dépenses
personnelles et économe de la fortune publique. Toutefois, il ne faisait aucun cas des richesses pour son propre

compte et ne mettait point de bornes à sa libéralité quand le bien public l'exigeait. Il était bienveillant et facile à fléchir, quoiqu'il sût être sévère avec le criminel endurci. Humble dans sa conduite, il avait à un haut degré ce respect de soi-même inspiré par une droiture d'intention qui a conscience d'elle-même. Modeste et sans prétention, il ne reculait point devant les entreprises les plus difficiles. Plein de déférence pour les autres, en dernier ressort il comptait principalement sur lui-même. Réfléchi et pondéré, il attendait avec patience le moment d'agir mais, quand il était venu, il se montrait hardi, prompt et décidé.

Gasca n'était pas un homme de génie au sens vulgaire du mot. Du moins aucune de ses facultés intellectuelles ne semble avoir reçu un développement extraordinaire au-delà de ce qu'on trouve·chez les autres hommes. Ce n'était ni un grand écrivain, ni un grand orateur, ni un grand général. Il n'affectait d'ailleurs aucune de ces qualités. Il confiait le soin des affaires militaires à des militaires, celui des affaires ecclésiastiques au clergé. Il s'en remettait des choses civiles et judiciaires aux membres de l'Audience. Il n'était pas de ces petits grands hommes qui aspirent à tout faire par eux-mêmes, convaincus que rien ne saurait être aussi bien fait par d'autres. Mais le président jugeait les caractères avec pénétration. Quelle que fût la fonction, il choisissait l'homme qui convenait le mieux. Il faisait plus, il s'assurait lui-même de la fidélité de ses agents, présidait leurs délibérations, leur traçait une ligne générale de conduite et animait ainsi leurs plans d'un esprit d'unité qui les faisait tous concourir à l'accomplissement d'un grand dessein.

Le trait distinctif de son état d'esprit était le bon sens, c'est-à-dire ce qui supplée le mieux au génie chez un homme qui dispose des destinées de ses semblables, et qui est plus indispensable que le génie même. Chez Gasca, les différentes qualités se fondaient dans une telle harmonie que nul excès n'y trouvait place. Tandis que

sa sympathie pour les hommes lui enseignait la nature
de leurs besoins, sa raison lui apprenait dans quelle
mesure et par quels moyens on pouvait y satisfaire.
Il ne gaspillait pas ses forces en projets illusoires de
charité, comme Las Casas, mais il ne soutenait pas la
politique égoïste des colons.

Dans l'accomplissement de ses projets, il rejetait la
force aussi bien que la fraude. Il se fiait à son influence
sur ses auditeurs, et la source de ce pouvoir était la
confiance qu'il inspirait par son intégrité. Au milieu de
toutes les calomnies des factions, aucune n'atteignit
jamais l'honnêteté de Gasca. Il n'est pas surprenant
qu'une vertu si rare fût d'un si grand prix au Pérou.

La conduite de Gasca, dès son arrivée au Pérou, est ce
qui révèle le mieux son caractère. S'il fût venu appuyé
par une force militaire ou même entouré de la pompe du
pouvoir, cœurs et mains lui eussent été fermés. Mais
l'humble prêtre n'excita pas d'inquiétude et ses ennemis
étaient déjà désarmés avant qu'il eût commencé sa tâche.
Si Gasca, impatient des lenteurs de Hinojosa, eût écouté
ceux qui lui conseillaient de s'emparer de sa personne,
il eût mis sa cause en danger par ce déploiement préma-
turé de violence.

De même, il attendit le moment propice pour faire son
entrée au Pérou. Il laissa ses messages faire leur effet sur
l'esprit du peuple et eut soin de ne pas faucher le blé
avant que la moisson fût mûre. De cette manière, partout
où il allait, toute chose était préparée pour sa venue.
Quand il mit le pied au Pérou, le pays lui appartenait
déjà.

Dans la longue suite de personnages que nous avons
passés en revue, nous avons vu surtout le cavalier bardé
de fer, brandissant sa lance sanglante et monté sur son
destrier, foulant aux pieds les malheureux indigènes ou
se battant contre ses amis et ses frères, farouche, arrogant et cruel, poussé par la soif de l'or ou, ce qui ne vaut
guère mieux, par la passion d'une fausse gloire. Nous
avons vu aussi, il est vrai, des flambées de ce caractère

chevaleresque et romanesque qui appartient à l'âge héroïque de l'Espagne. Mais, à part quelques exceptions honorables, ce fut l'écume de la chevalerie qui se rendit au Pérou et s'engagea sous la bannière des Pizarre.

Après cette longue série de guerriers, nous avons vu enfin un missionnaire humble et pauvre arriver dans le pays avec un message de miséricorde et proclamer partout la bonne nouvelle de paix. Aucune trompette guerrière n'annonce son approche et sa route ne doit pas être marquée par les gémissements des blessés et des mourants. Les moyens qu'il emploie sont en parfaite harmonie avec son but. Ses armes sont le raisonnement et la persuasion pacifique. C'est l'âme qu'il voudrait conquérir, et non le corps. Il fait son chemin par la conviction, non par la violence. C'est une victoire morale à laquelle il aspire, plus puissante et plus durable heureusement que celle du vainqueur souillé de sang.

Avec la mission de Gasca se termine l'histoire de la conquête du Pérou. La véritable conquête, il est vrai, avait pris fin avec la répression de la révolte des Péruviens, c'est-à-dire au moment où la puissance, sinon l'esprit de la race inca fut écrasée pour toujours.

TABLE DES MATIÈRES

Cet ouvrage
composé en Romain c. 9
a été réalisé par
les Éditions Famot à Genève
d'après une maquette originale.
Il a été tiré
sur papier bouffant de luxe
et illustré de hors-texte
sur papier couché.
Les illustrations
ont été spécialement recherchées,
pour cette édition,
dans les archives de
la Bibliothèque Nationale.

Printer industria gráfica sa   Tuset, 19   Barcelona
San Vicente dels Horts   1973
Depósito legal B. 47728-1973
Printed in Spain

Production Editions Famot — Diffusion François Beauval